もう一度、学ぶ技術

石田 淳

日経ビジネス人文庫

はじめに◎「大人の学び」を成功させる科学的メソッド

アメリカのある著名な投資家が、これからの日本で伸びていく産業は「教育分野」だと述べています。私もまったく同感です。

教育分野とは、いわゆる幼児教育から大学までを指しているのではありません。ホットなのは、むしろ社会人になってからの学びです。

実際に今の20代の若者たちは、就職してからもよく勉強しています。会社に対して先の保証など求めることはできないと悟っている彼らにとって、自分の未来のために勉強を続けるのは当然のことなのでしょう。

一方で、40代以降の人たちからは、こんな声をよく聞きます。

「もし若い頃に戻れたら、本気で勉強したい」

大学時代はサークル活動に夢中で、できるだけ楽に単位が取れるカリキュラムを組んでいた。でも、そんな自分は愚かだった。せっかく高い学費を払って、時間だってたっぷりあったのだから、もっと本気で勉強していたら、人生は違ったものになったかもしれない……というわけです。

それにしても、「若い頃に戻れたら」とはどういうことなのでしょう。

なぜ、自ら学びをあきらめてしまうのでしょう。

学びは生涯続く、大切なもの

多くの企業では、50歳くらいになると早期退職などシビアな話が出てきます。60歳を過ぎて会社に残れたとしても、給料は激減するケースがほとんどです。

こうした現状があるから、ある程度の年齢になると、「もはや、学んでみたところでどうにもならない」と感じるのかもしれません。

しかし、学びとは、死ぬ瞬間まで続くものです。

江戸時代の儒学者・佐藤一斎は「荘而学老不衰、老而学死不朽（荘にして学べば老いて衰えず、老にして学べば死して朽ちず）」という言葉を残しています。「壮年のときに学んでいれば、老年になっても衰えることがない。老年になっても学んでいれば、亡くなった後もその名が残る」。まさにその通りなのです。

セミリタイア世代はもちろん、40代ともなったら、この言葉が心に染みるのではないでしょうか。

40代以降の人は「学びの基礎」を持っている

ここで忘れてはならないのは、今の若い世代が学びを大事にしているのは、決してビジネスのためだけではないということです。

たとえば、英語のスキルが高くてマイナスになるビジネスなどありませんから、今の時代、英語を勉強するのは当たり前です。

とはいえ、若者たちにとってビジネスに役立つか否かは、おそらく第一義ではありません。彼らは、**自分の人生を充実させるために学んでいるのです。**

彼らの学びの対象は、投資、健康維持、ＳＤＧｓを始めとする環境や社会の問題、ボランティア活動、コミュニティづくり、副業、趣味に関することなど広範囲に及んでいます。

自身のＱＯＬ（クオリティ・オブ・ライフ＝人生の質）を高く保つために、まさに、社会的にも、経済的にも、肉体的にも豊かな人生を歩もうと貪欲に学んでいるのです。

そんな若者たちにしてみたら、40代以降の先輩たちはむしろ、うらやましく映るかもしれません。なぜなら、さまざまな経験を積んでおり、学びの基礎ができているからです。

さらに、セミリタイア世代ともなれば、時間もあります。

老後のお金をどう増やしていくか、これまでやったことがない遊びにどうチャレンジしていくか、健康維持にどんな運動や食生活が必要なのか……。こうしたスキルを身につけるために、若者よりもずっと有利な立場にいるのです。

にもかかわらず、もし、あなたが「若い世代と比較して自分たちには時間がない」と考えているのだとしたら、それは**「大人になってからの学び方」を知らないことに原因があるのだと思います。**

三日坊主は「続けるコツ」を知らないだけ

大人の学習は、子どもの頃のそれとは違います。

たとえば、算数の勉強は、足し算や引き算ができていなければ、掛け算も割り算もわかりません。だから、子どもの学習にはとても時間がかかります。

しかし、すでにあらゆる基本が身についている大人の場合、ずっと効率的に学ぶことが可能です。

大人の学習は、それまでの経験を土台にして、必要なことだけを上手に身につけて

いくことができるものです。

ただ、それにはちょっとコツがいります。うまく勉強を進めるための仕組みが必要なのです。勉強慣れしている若者たちは、それを知っているだけ。彼らが、先輩世代よりも真面目なわけでも優秀なわけでもありません。

もしあなたが三日坊主になってしまうとしたら、やる気や性格に問題があるのではなく、続けるコツを知らない――ただそれだけなのです。

重要なのは「どの行動を取ればいいのか」

本書では、私の専門である「行動科学マネジメント」のメソッドを使い、大人になってからの学びを成功させるコツを伝えていきます。

行動科学マネジメントは、一部の突出したハイパフォーマーに頼るのではなく、8割の普通の人たちに結果を出してもらうことを目指しています。「いつ・誰が・誰に対して・どこでやっても」同じような効果が出る、高い再現性が認められる科学的手法で、現在、国内では規模の大小を問わず1200社を超える企業で導入、さらに教育現場でも活用いただいています。

そこでは、持って生まれた能力、やる気や根性といった曖昧な要素は徹底して排除され、「どの行動を取ればいいか」を具体的に示していきます。

個人の勉強も同じで、望ましい行動を取りさえすれば、必ず結果につながります。

その手法は、外国語や資格試験、リスキリングといったかための分野はもちろん、スポーツ、趣味、健康習慣など、あらゆる新しい挑戦に共通して使えます。

本書は、2018年に刊行された『学ぶ技術』(日経BP)を時代に合わせ大幅加筆、再編集の上、文庫化したものです。

タイトルに「もう一度」と加えたのは、新たに学びを始めようとする方へのエールであり、「学びの楽しさを再度発見してほしい」という気持ちも込めています。

4つのステップで「仕組み」をつくる

本書の構成は次のようになります。

序章では、私たちを取り巻く今の環境を考察していきます。実は、「学べる人」にとってはとても面白い時代がやってきていることがご理解いただけるでしょう。

第1章は、「習慣化」についてです。人がある結果に到達できるのは、そのための「小さな行動」が積み上げられたからにほかなりません。

第2章は、行動科学のＡＢＣ理論に基づき、「学びが続かない理由」を解き明かしていきます。

第3章から第6章は、実践編です。行動科学マネジメントに即して、①目的発見↓②目標設定↓③行動設計↓④検証と4つのステップで、学びを習慣化する仕組みづくりを進めていきます。

第7章は事例編です。英語、資格試験、趣味、読書習慣、子どもの勉強法、そして家族との関係性の再構築とさまざまなケースを取り上げています。実際に学びを習慣化している人たちを、これからのあなたの参考にしていただければと思います。

終章は生涯、学びを続けるための15の心得です。これから学び続ける人生を歩んでいく上で大切な心構えや行動習慣であり、私から皆さんに送るエールでもあります。

あなたはこれから、何をやってもいいのです。

本書で紹介するメソッドを実践することで、あきらめることなくすべてを楽しみ、より充実した人生を送っていただければと思います。

2022年11月

石田　淳

もう一度、学ぶ技術　目次

序章

「学び」が人生の質を高めてくれる

第1章

「仕組み」があれば何でもできる

第2章

なぜ続かないのか？

第3章

ステップ1［目的発見］「学ぶ目的」を正しく発見する

第4章

「目標」を数値化する

ステップ2［目標設定］

第5章

ステップ3

無理なく学ぶための計画を立てる［行動設計］

第6章

確実に学びを継続する

ステップ4〔検証〕

第7章

9つのケースで学ぶ「学習習慣」の身につけ方

終章 学び続けるための15の心得

校正◎内田翔
編集協力◎中村富美枝

序章

「学び」が人生の質を高めてくれる

「あと40年をどう生きるか」問題

あえて私が指摘するまでもなく、世界は大きく変化しています。コロナ禍もロシアのウクライナ侵攻も、5年前には予測すらできませんでした。まさに、**「不確実」「想定外」という言葉が我が身に降りかかる経験を、誰もがしている**のです。

一方で、「人生100年時代」は待ったなしで到来します。「令和2年版厚生労働白書」によると、2040年時点で65歳の人は、男性の約4割が90歳まで、女性の2割が100歳まで生きると推計されています。「人生100年時代」がいよいよ現実のものになっています。

これまで、「老後のプラン」について考えるときは、だいたい85歳くらいまで生きることが前提とされました。メディアの記事などでも、「何とか65歳くらいまで働いて、年金と自己資金で残された20年を全うする」方法が多く紹介されていました。

しかし、今後は、65歳になった時点で「あと40年をどう生きるか」について真剣に検討する必要性に迫られます。

しかも、世の中どうなるかわからない状況で、それをしなければならないのです。

私たちには、親の世代とはまったく違った人生観が必要だといえるでしょう。

そこで、**もっとも重要なのが、何歳になっても自ら学びを重ねていく姿勢**です。今後もどんどん押し寄せて来るはずの新しい変化を、なるべく正確に理解し、そこで人生を楽しめる自分を構築していかねばなりません。

それができずに、呆然と立ち尽くしていれば、ただ長いだけの人生を苦しみながら過ごさねばならないでしょう。

逆にいうと、学べる人にとって、とても面白い時代だということです。

世の中のほうからさまざまなゲームを仕掛けてくれるのですから、退屈することはありません。

「学ぶ習慣」は最強の武器になる

今は多くの企業が、メンバーシップ型からジョブ型のビジネススタイルに移行しています。年齢や性別などとはまったく関係なしに、職務をこなす能力が高い人を企業は求めているのです。

加えて、テクノロジーの進化は目を見張るものがあり、今後はより多くの仕事をAI（人工知能）がこなすようになるのは間違いありません。

こういう世界において、「過去にすごいことができました」といった経験は、なんの役にも立たなくなります。

ゴッドハンドと呼ばれるような有名外科医でさえ、ロボット手術が普及すれば、仕事を失う日が来るでしょう。ただし、その外科医が学びを重ねていれば、ロボット手術をさらなる高みに持っていくこともできるはずです。

要するに、**これからの時代、学びと仕事は切っても切れないものとなって、一体化していきます。**

ところが、日本経済が右肩上がりで、終身雇用が当たり前だった時代には、多くの人にとって「社会人になること＝学生としての勉学を終えて仕事に集中すること」でした。つまりは、学びを過去のものにしていて平気でした。

特に、大企業で出世したような人ほど、それまでの自分の歩みに対する肯定感が強く、新たな学びなど必要としませんでした。こういう、学びの習慣が持てない人たちは、これから、どんどん厳しくなっていきます。

一方で、ＡＩの登場によって、新たな仕事も次々と生まれてくるでしょう。人間よりもはるかに速いスピードで思考するＡＩが稼働すれば、「やらなければならない新しい仕事」が大量に生じるに違いありません。

ただ、その新しい仕事をこなせるかどうかは、人によって違います。そして、その違いは、過去の学業成績ではなく、今後の学習状況が決定づけるのです。

年齢不問。活躍の場が確実に広がる

ビジネスがメンバーシップ型からジョブ型へと移行すれば、給与体系も変化していきます。入社年度や肩書によって給与の多寡が決まるのではなく、「いくら受け取るにふさわしい仕事をしたか」という職務の種類によって報酬が決まります。

たとえば、病院は、すでに職務給が浸透している職場の代表です。総合病院には、外科医、麻酔医、歯科医、看護師、薬剤師、放射線技師、管理栄養士など専門の職務についている人たちが勤務しています。麻酔医が外科医に代わってメスを握ることはありませんし、薬剤師が患者のシーツ交換をすることもありません。それぞれが自分の職務を遂行し、その対価として職務給を受け取っています。

これと似たようなことが、一般企業でも起こっています。職種ごとに評価するのはもちろん、これまで「立場も給与も上」と見なされていたマネジャーですら、専門職の1つとして評価されるようになっています。

特に、優秀な技術系スペシャリストの存在が競争優位性につながるようなテクノロジー企業では、マネジャーも「チーム運営のスペシャリスト」として他の専門職と同列に処遇されるのです。

そういう企業が増えれば、職務ごとのジョブ・ディスクリプション（職務記述書。職務遂行に必要なスキルや知識、行動を示す資料）は今以上に見える化され、年齢も経験年数も関係なく「やるべき職務を完遂できる人」が評価される世界になっていくでしょう。

逆にいえば、**セミリタイア世代でも活躍の場が十分にある**ということです。これまで年齢を拠り所にしていた、定年、役職定年、定年延長……といった言葉すらなくなっていくはずです。

あなたがすべきは、ゼネラリストをやめること。何の役にも立たない看板を背負っていても邪魔なだけです。**身軽になって、変化に対応する学びを重ねましょう。**

DX時代の新しい知識やスキルを身につける「リスキリング」

学びに関する欲求は、個人レベルでも、あるいは世の中全体を見渡しても、拡大の一途をたどっているように思えます。

最近よく耳にするようになったのが「リスキリング」「リカレント教育」といった学びにまつわる横文字です。

リスキリング（reskilling）とは、技術革新やビジネスモデルの変化に対応すべく新しい知識やスキルを身につけることを指します。

これからの時代を生き抜くために、リスキリングは必須の要素です。

もちろん、学びの主体は個人ですが、従業員一人ひとりのリスキリングが業績に直結することもあり、むしろ企業が後押ししている側面があります。２０２０年のダボス会議でもリスキリングが議題に乗せられました。

わが国でも、2022年に、リスキリングの支援に5年間で1兆円を投入する考えが示されました。

目的は、構造的な賃上げの実現に向けてデジタルなどの成長分野への労働移動を促すためです。いわば、国が勉強のためのお金を払ってくれて、高い給与の職場に移してくれるというのですから、この波に乗らない手はありません。

リスキリングではDXの知識習得かポータブルスキルのどちらかを学ぶのが一般的です。ポータブルスキルとは、行動科学マネジメントのような、**転職しても通用する再現性のあるビジネススキル**を指します。

ビジネスパーソンなら自分の給与を上げるために、実際にリスキリング教育を進めていく企業側であるなら今の時代に合ったビジネススキルを持った人材をつくるために、ぜひこの波に積極的に乗っていくことをおすすめします。

学びが人生の中で循環する「リカレント教育」

一方で、リカレント教育は、より個人の人生に深く影響していくものです。

リカレント（recurrent）は「循環する」という意味で、学校教育が終了した後も、個人のタイミングで再び教育を受け、そこで得た知識や技術を仕事や社会生活に生かしていくことを繰り返します。学びが人生の中でグルグルと循環しているイメージを持ってもらえばいいでしょう。

この概念が世界に提唱されたのは案外古く、１９６９年、スウェーデンのパルメ教育相によってでした。その後、１９７３年にはＯＥＣＤ（経済協力開発機構）が報告書をまとめています。

もっとも、日本で認知され始めたのは２０１０年くらいになってから。それまでの日本では、高度経済成長からバブル崩壊へとビジネスの現場は翻弄され、「社会人が学び続ける」という発想はなかなか持てなかったのかもしれません。

しかしながら、今は自分自身のためにも、職場のためにも、社会のためにも、一人ひとりの学びが必要です。

私もリカレント教育の一端を担っており、現在、大学院で「教え方」を指導しています。そこにはリスキリングよりもより幅広い分野に興味を持つ人が来ています。

もちろんビジネススキルを教えたいという人が多いですが、それ以外にも趣味の登山スクールを開くので教え方を教えてほしい、定年を迎えたら小さなカフェを開いてコーヒーの淹れ方について教えていきたいなど学びの理由はさまざまです。

単にビジネスに役立てるという目的だけでなく、自分のこれからの人生を楽しむために学ぶというのも素晴らしいと思います。

学びは、1つの目的を達したら終わるものではなく、ましてや学生時代に限ったものではありません。一生「楽しむ」に値するものです。

学びを、あなたの人生にどんどん入れ込んでいきましょう。

家庭、地域社会、遊び……すべて学びの宝庫

コロナ禍の中で増えたリモートワークは、さまざまなことを浮き彫りにしました。

企業においては、「できる社員・できない社員」が明確になりました。

営業系で見てみると、これまでのハイパフォーマーは、声の大きい元気なベテラン勢が多い印象です。商品説明よりも、顧客と飲みに行って人間関係を構築することを重視するような営業スタイルが通用していたわけです。

ところが、今は商品についてしっかり勉強し、オンラインで丁寧に説明していける若手が圧倒的に成績を伸ばしています。

プライベートでも、あちこちでいろいろな発見があったはずです。

共働きの夫婦がいつも一緒に家にいることで絆が深まったとか、親の働く姿を見て子どもが尊敬してくれたという喜ばしいケースもあります。

一方で、毎日顔をつき合わせていてストレスが溜まったという人もたくさんいます。

しかし、これからの時代、家庭内の幸福はＱＯＬに不可欠です。「会社にこそ自分の居場所があった」というのは幻想。**あなたの真の居場所は家庭です**。まずは、そこで楽しい日々を送る方法を学びましょう。

夫婦関係や子どもとの仲がギクシャクしていたなら、自分から動いて改善していきましょう。その方法も学んでください。

地域社会にも目を向けてください。そこには、仕事で忙殺されていたときには知らなかった世界が広がっているはずです。まさに、学びの宝庫です。

そして、**遊びを学んでください**。

たとえば、キャンプを楽しみたいなら、テントの設置、たき火の方法、天気図の読み方など、たくさん学ぶことがあります。新たにそうした知識を増やし、実践していくことは、あなたのＱＯＬをきわめて高く保ってくれます。

つまり、学びは人生そのものと一体化しているのです。

大人の学びには「趣味」も不可欠

人生を豊かにする大人の学びには、「趣味」も不可欠です。あなたを取り巻く環境は変わっていくからです。

ただ、趣味は1つに絞らないほうがいいでしょう。

まず年齢と体力の問題があります。私はマラソンが好きですが、80歳を過ぎてフルマラソンを走れるかは疑問です。また、人間関係も変化します。同僚とバンドを組んでいたとして、あなたが転勤になったら、それまでのようには楽しめませんよね。

こうしたことから、私はマトリックスを用い、**趣味を4つに分けて考えています。**

マトリックスの縦軸に「1人でも楽しめる」「仲間が必要」を、横軸に「屋内でやること」「屋外でやること」を置きます。そして、4つの枠を埋めていくのです。この4つの枠が埋まるような趣味を持っていると、人生はとても豊かなものになります。

図 序−1 趣味は4つに分けて考える

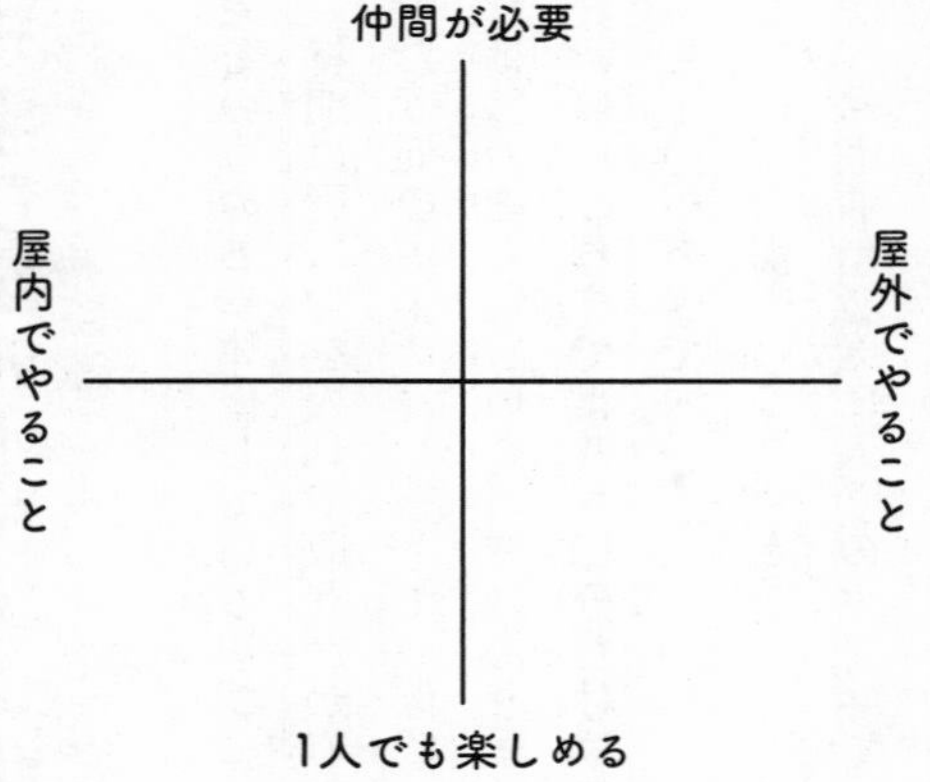

私の知人の一例を挙げると、次のような感じです。

「1人でも楽しめる×屋内で」＝水彩画

「1人でも楽しめる×屋外で」＝スノーボード

「仲間が必要×屋内で」＝合唱

「仲間が必要×屋外で」＝テニス

もちろん、1人でも楽しめることは仲間とも楽しむことができます。しかし、仲間がいなければ何もできないのでは、100歳人生を謳歌するには不安が残ります。**1人で楽しめるという要素はとても大事**です。

歯磨きと同じレベルまで学びをルーティン化する

人生そのものと一体化している学びについては、生活の一部としてしまうのが一番です。特別に肩に力を入れて取りかかるのではなく、食事や入浴、歯磨きと同じように、当たり前のルーティンとしての位置づけを与えてしまいましょう。

それはちっとも難しいことではありません。また、難しいことにしてはいけません。

たとえば、**これまでよりも10分だけ早起きして、その時間を勉強タイムにあてる**というのも1つの方法です。

あるいは、なんとなくスマホをいじっているだけだった通勤電車を読書の場と決めるとか、帰宅前にお気に入りのカフェでコーヒーを楽しみながら勉強をするというのもいいでしょう。

いずれにしても、大事なのはルーティンです。カフェに寄るなら、基本的に毎日とし、時間も30分などと決めてしまいます。気分が乗ったときだけ長時間やるというのはNG。なぜなら、続かないからです。

詳しくは後述しますが、あらゆることは「継続」によって成し遂げられます。求められるのは、頑張りとかやる気ではありません。

だから、**日々の生活の中に、ほんの少しでもいいから「継続できる学び」を入れ込んでいくことは、とても大きな意味を持ちます。**

この、「継続できる学び」を考えるとき、1つの物差しとなるのが「長期休暇」です。学びの時間は、食事や入浴と同様、GWも夏休みも関係なく入れるのが理想です。逆にいうと、それができないのであれば、もともと無理があるということです。

学びを特別なことと捉えるのはやめて、日常の一部に取り込んでしまいましょう。

食事や入浴、歯磨きと同じように学びを扱えるようになったら、あなたが手にするものは無限に増えていきます。

第1章

「仕組み」があれば何でもできる

「小さな学びの習慣」を身につける

仕事で業績をアップするための学びというと、どうしても語学やプログラミング、資格取得などの勉強が頭に浮かぶでしょう。

一方で、そういうスキルが今すぐ必要な職種ではなかったり、「どうせやるなら、しっかり時間が確保できてから」と考えたりで、学びに着手することを見送ってしまう人がいます。

「学びが必要なのはわかっているけれど、何をすべきか決めかねている。それが見つかったら本気を出す」というわけです。

しかし、**それでは遅いのです。**

「何か見つかったら本気を出す」といっているような人は、その何かが見つかったとしても実際にはなかなか勉強しません。

なぜなら、日々の仕事に忙殺されていて、そこに学びの習慣がないからです。

あなたがまず身につけるべきは、学び続けるための「習慣」です。

毎日、新聞の経済面をしっかり読み込むとか、英単語を1日に3つ覚えるとか、小さなことでいいので日々に学びを入れ込み、それを続けることです。

こうして小さな学びの習慣を身につけておけば、その内容を変えていくことで、いろいろなスキルを新たに自分のものにできます。

一度身につけた学びの習慣は、何歳になってもあなたの大きな財産として残ります。

学びとは、日々進化すること

小さな学びの習慣がない人は、そもそも自分を変化させていくことができません。それはすなわち「退化」を意味します。

私の知人が経営しているあるデザイン関係の企業で、大きな人事異動がありました。なかでも注目されたのが、企画部門の中核にいた社員が、資材発注部門に移ったことでした。肩書こそ課長職から次長職へアップしていましたが、それは誰が見ても左遷人事でした。

この社員はクライアントからのウケもよく、人柄も温厚で部下たちからも好かれていました。だから、以前は会社からの評価も高かったのです。

ただ、ここ数年は壁にぶつかっているように見えました。彼が出してくる**アイデアに、かつてのような斬新さが感じられない**のです。

結果的にクライアントからの指名注文も減り、会社はクリエイターとして若い社員を教育する立場に彼を置いておくのが適切ではないと考えたようです。

もっとも、どこがどう悪いのか、言葉で指摘するのは難しいし、本人は以前と変わることなく頑張っているつもりでした。

これは、**財布と持ち主の関係**に似ています。毎日使っているがゆえに、持ち主は財布がぼろぼろになっていることに気づきません。でも、それを見た他人は「古い財布だな」と感じます。これと同じことです。

自分はこれまで通りやっているからこそ、客観的な視点が持てず、いつの間にかスキルや知識、アイデアが古くなってしまうのです。

異動によってプライドが大きく傷ついたようで、彼は結局辞めることになりました。

彼のように、言葉にできない世の中の潮流やニーズの変化をつかめないまま、古くなってしまう人は多くいます。

一方、**何であれ学んでいれば、古い人になることはありません**。学びとは、あなたの新陳代謝を促す非常に重要なピースです。

新しい知識を入れるための「アンラーン（脱学習）」

新しい学びによって自分を変えていくことができない人は、何がネックになっているのでしょうか。原因の1つに、「古い知識を捨てられない傾向」があります。**私たち人間は、一度手に入れたものを離すのが嫌**なのです。

しかし、それによって重要なスキルが身につかないということが起きます。ビジネス環境が大きく変化している今、新しい何かを学ぶ際には、「アンラーン（unlearn）」、つまり過去の成功パターンを捨てる「脱学習」が必要なのかもしれません。

いかにスペックの高いパソコンでも、使わないソフトをため込んでいたら動きは悪くなります。不要なもの、古いものをアンインストールするように、かつて学んだことで、今は特に役立っている実感がないものはどんどん捨てていきましょう。

スキーを例に考えてみます。

かつて日本では、「私をスキーに連れてって」という映画が大ヒットするほどのスキーブームが起きました。そして、バブル崩壊に合わせるかのようにブームは下火となり、代わって若者たちの間でスノーボードが流行り始めました。

そして今、かつてのスキー世代がゲレンデに戻ってきています。50～60代が再びスキーに夢中になっているのです。

ただし、彼らがゲレンデから離れていた30年ほどの間に、スキー板は大きく進化を遂げ、それによって滑り方の技術もまったく変わりました。ところが、いまだに30年前の滑り方に固執している「古い人」がいます。

彼らは「自分たちはこう習った」という常識を捨てないので、いつまで経っても新しい技術が身につきません。「あれはもう古いのだ」と認識し、一度すべてをリセットしない限り、最新のギアは使いこなせないでしょう。

時代はめまぐるしく動いています。

どんどん新しく学んで、どんどん捨てていく。そうしたフットワークの軽い学び方があなたを強くします。

「また続かなかった」の挫折感が悪循環を生む

私の専門とする行動科学マネジメントでは、目的と目標を徹底して見える化し、次に、一つひとつ行動に落とし込みながら「できる方法」を組み立てていきます。

そもそも、人間は「やる気」で物事を成し遂げられる生き物ではありません。そんなことができるのは、ごく一部の限られた人だけです。

「勉強しよう」と思い立つことと、実際に「勉強した」という事実の間には、とても深い川が流れています。 その現実を無視して「やるぞ!」を繰り返すのは、時間のない人にとって実は非常にまずいことなのです。

なぜなら、どんどん失敗体験を重ねてしまうからです。

私たちは失敗すれば自信を失い、次に「やるぞ!」と思ったときに「どうせまたできないのではないか」というネガティブな気持ちを抱きます。脳は素直で、思った通りの結果を招きますから、実際にまた失敗します。そして、さらなる自信喪失を招くという負のスパイラルに陥り、もはやどうやっても成し遂げることは難しくなります。

何度も英会話教材をそろえてみるものの、ほこりだらけにしている人は、こうした脳の特性にやられているのであって、その人の意思の問題ではありません。

「失敗は成功のもと」といいますが、それは間違い。失敗から多くの学びを得て成功につなげるなど、私を始め普通の人間には無理で、「失敗は失敗のもと」なのです。

部下に対して、「わざと失敗させて成長を促す」という態度を取る上司がいます。彼らは、明らかに部下がミスをするとわかっていながら、アドバイスを与えずに失敗させます。

本当に仕事ができる上司は、そんなことはしません。最初から部下が成功できるような仕組みをつくり、実際に成功させます。そうして自信をつけた部下がさらなる成功を重ねてくれることで、自分の業績も上げていきます。

「気合で頑張れ」「できないのは根性がないからだ」などと部下にいう人は、勉強をする上でのセルフマネジメントでも失敗してしまうでしょう。

主役は「行動」。やる気は関係なし

スキルアップでもマネジメントでも、何かを確実に成し遂げようとしたときに「やる気」という曖昧なものを拠り所にしてはいけません。

それが成し遂げられる「行動設計」すなわち「仕組み」をつくり、その通りに行動することがもっとも賢明です。

行動科学マネジメントの理論は、「行動分析学」を基礎に生まれました。行動分析学とは、人間の行動を科学的に研究する学問です。大きな特徴は、行動から人の心の状態を読み取ろうとするのではなく、シンプルに行動を見ていくところにあります。

行動科学マネジメントでは、仕組みをうまく活用することによってさまざまな結果につなげていきます。

本書では、次の４つのステップに沿ってあなたの学びを確実なものにしていきます。

ステップ1：目的発見
ステップ2：目標設定
ステップ3：行動設計
ステップ4：検証

人がある結果に到達できるのは、そのための小さな行動が積み上げられたからです。たとえば、**無事に一軒の家が建つのは、大工さんが設計図に従って必要な工程をコツコツ重ねた結果です。**

心の状態などに関係なく、その行動を積み重ねることこそが重要であると考え、どうしたらその行動を積み重ねるための仕組みをつくれるかにフォーカスする。これが、行動科学マネジメントのメソッドです。

あくまで主役は「行動」であり、「やる気」「気質」などという心の分野には入り込みません。

どんな挑戦にも有効

この本を書いている時点で50代の私自身、英語をはじめ、これまでいろんな学びを続けてきました。ランニングもその1つに数えていいかもしれません。

私が「フルマラソンを走ってみたい。そのために正しいランニング法を身につけたい」と思い立ったのは、40歳を過ぎてからのことです。

当時の私は、運動などまったくしておらず、お腹もたるんでいました。駅の階段を上ると息が上がってしまうほどでしたから、普通だったら「いくら何でもマラソンなんて無理」とあきらめていただろうと思います。

しかし、その頃、私はすでに行動科学マネジメントの理論を確立し、自分自身その効力をよくわかっていましたから、「できるだろう」と楽観的にチャレンジしました。

そして、今では100キロマラソンや、サハラ砂漠、南極といった極限の地を走る大会にも参加できるまでになっています。

行動科学マネジメントの理論に従って、目的や目標を明確にし、それを実現するための行動設計ができるようになると、**いくつになってもどんなことにもチャレンジできます。**

そのチャレンジは、ただのチャレンジに終わらず必ず結果につながるので、人生の充実度合いが上がります。

本書で説明する手法を使って、あなたはまず何か1つ、確実に学びを身につけるのを成功させてください。

一度それができれば、次に学びたいことが見つかったときに、ためらわずに取り組むことができるでしょう。

自ら経験してきたこととして、私はあなたにそれを約束できます。

第2章

なぜ続かないのか？

「続け方を知らない」から「続かない」

私たちが何かをやり遂げることができないとき、そこには大きく2つの理由があります。

1つは**「やり方がわからない」**から。

もう1つは**「やり方はわかっているけれど続けることができない」**からです。

経験の浅い新入社員などは、前者であることも多いでしょう。「そもそも、法人営業ってどういうことをしたらいいのかわからない」という状態であれば、挨拶の仕方や電話のかけ方から、丁寧に教えてもらわなければ動けません。

ところが、数年の経験を重ね、営業活動について一連のやり方はわかっているのに結果が出せない人もいます。それは、アポ取りや訪問、提案後のフォローといった重要な行動を、結果が出るまで続けることができないからです。

あなたは、自分がこれから学ぼうとしていることのやり方自体はわかっているはずです。

たとえば、英会話の勉強ならば、音声教材を聞いたり、単語を覚えたりすればいいということは間違いなくわかっているのです。

わかっているのに実行できないのは、それが続かないからです。続けるというのは、本当に難しいのです。

これは勉強に限ったことではなく、ダイエットや禁煙でも同じです。

その目的をかなえるために「どうすればいいか」はわかっている。

わかっているのに続けられないのは、続け方を知らないから。

これは非常に重要なポイントです。

継続＝行動の繰り返し

「続け方を知らない」という指摘に、違和感を覚えた人もいるでしょう。「週に2回と決めた勉強を、毎週やるだけ。そんなことはわかっているよ」と。

しかし、多くの人がそれを意思の力でやろうとしています。

これがダメなのです。

新しいことに取り組み始めた人が、目標を達成するまで続けるために必要なものは何だと思いますか？

根気、やる気、真面目な性格、モチベーション……。こんな言葉が頭に浮かんできそうです。しかし、こうした要素はあってもなくてもいいのです。

前述したように、大事なことは、「行動の繰り返し」です。

たとえば、英単語を覚えるために必要なのは、「覚えるぞ」という意思ではありません。単語帳をカバンから出すという行動、それを開くという行動、書かれた単語を見て口にするという行動です。

その行動を積み重ねさえすれば、おのずと結果は出ます。

あるいは、仕事でこんな経験をしたことのある人は多いのではないでしょうか。

「社長や上司に提案しようと自宅でつくり始めた企画書を、忙しさのあまり長らく放置していたけれど、偶然できた空き時間に集中して書き始めたらすんなり完成した」

こうしたことから、「企画書を完成させる」というゴールを達成するには、偶然できた空き時間や、その瞬間の思考力、集中力が大事だったと思うかもしれません。

でも、本当は「夕飯を食べた後はダラダラせずパソコンを立ち上げる」「企画書のファイルを開く」「10分だけでもいいから何かを書く」といった行動を続けていれば、もっと早く完成させることができたでしょう。

つまり、**意思よりも行動に着目し、その行動を繰り返すことができる仕組みをつくるのが大切なのです。**

行動には「不足行動」と「過剰行動」がある

人間が繰り返し継続したいと思っている行動には大きく2つのパターンがあります。

1つは、不足している行動（不足行動）を増やしたいというパターン。
もう1つは、過剰な行動（過剰行動）を減らしたいというパターン。

あなたがこれから取り組もうとしている学びは前者に、禁煙や過食をやめるというのは後者に当たります。

不足行動を増やすことを継続し続けるか、過剰行動を減らすことを継続し続けるか。その継続を確実にするのが、行動科学マネジメントのメソッドです。

「望ましい結果」があれば人は行動を繰り返す

あなたはこれから、学習成果を上げるための望ましい行動を継続させたいと思っているはずです。そこで、「人はどうして望ましい行動を繰り返すか」を説明しておきましょう。

人が行動する理由について、行動科学マネジメントでは「ＡＢＣモデル」という概念を用いて考えます。

A＝Antecedent（先行条件）
B＝Behavior（行動）
C＝Consequence（結果）

図2-1　行動が続くかは結果次第

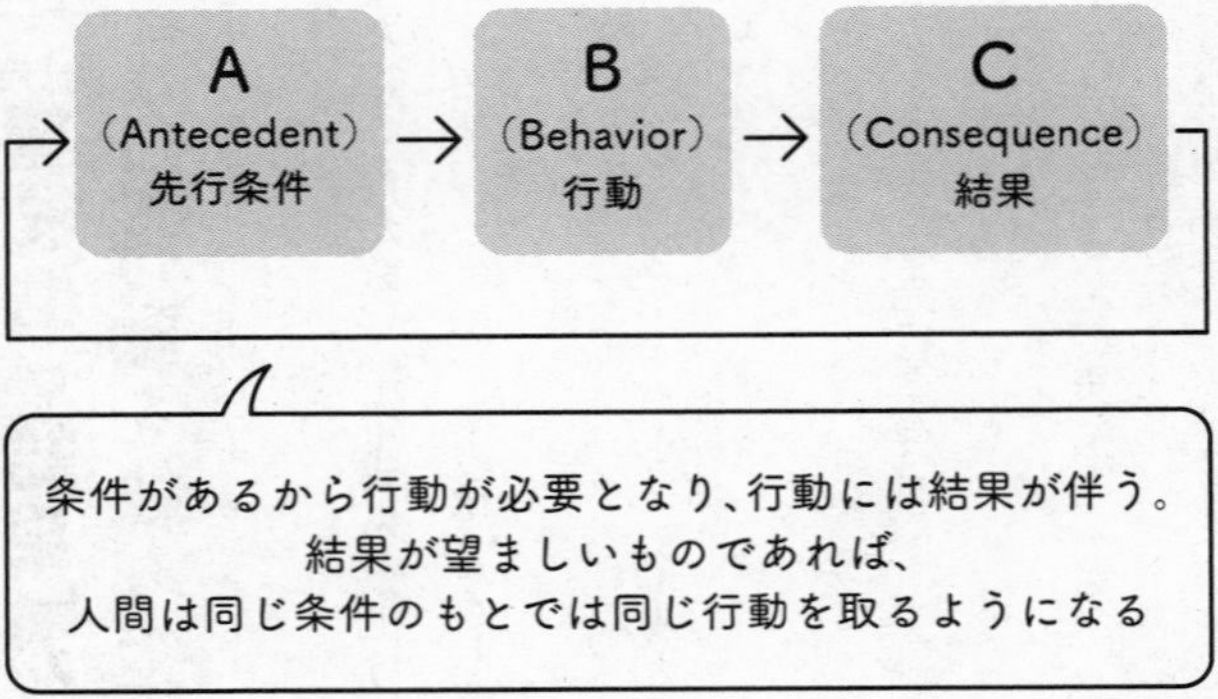
A
(Antecedent)
先行条件
B
(Behavior)
行動
C
(Consequence)
結果
条件があるから行動が必要となり、行動には結果が伴う。
結果が望ましいものであれば、
人間は同じ条件のもとでは同じ行動を取るようになる

たとえば、あなたの家の近くに素敵なカフェができたとします。ためしに行ってみて、コーヒーとケーキを頼みました。

このとき、出されたコーヒーもケーキも美味しくて、お店の人の感じもよかったら、あなたは、そのカフェに再び行く可能性が高いですね。

一方で、あまり美味しくなかったり、つっけんどんな対応をされたらどうでしょう。二度と行くことはないはずです。

これは、新しいカフェができたという「先行条件」によって、実際に訪ねて飲食してみたという「行動」を取った「結果」が、いいものであったか悪いものであったかによって、それを繰り返すかどうかが決まるということを示しています。

このように、**私たちは最初こそ「先行条件」で動き始めますが、それが何度も繰り返されるかどうかは「結果」次第**というわけです。

「仕事で英会話力が必要とされている」といった先行条件で勉強を始めたとしても、それだけでは繰り返すことはできません。繰り返すためには「やったらよい結果が待っていた」という状況が必要です。

このとき、「英語がペラペラになって会社で重用されるようになった」という結果はあまりにも先の話で、すぐに手にできるものではありません。そのために、もっと小さな行動をしたことによる「小さなよい結果」を自ら設定しておく必要があります。

自分にご褒美をあげるのも、誰かにほめてもらうのも、その大事な要素。

こうして**望ましい行動を繰り返すことで、やがて大きなゴールにたどり着くのが、行動科学マネジメントの手法**です。

「サボる理由」は単純明快

行動科学マネジメントでは、勉強をするというような望ましい行動に対し、その足を引っ張るものを**「ライバル行動」**と呼びます。

そもそも、望ましい行動が不足してしまうのにはいくつか理由があります。

多くの人が、勉強できない理由として挙げるのが、「忙しくて時間が取れない」というものです。しかし、実は「まったく時間がない」ということはあり得ません。本当の理由は「面倒くさい」からです。

やったほうがいいとはわかっていても、それをやったところですぐに結果が得られないから嫌気がさして、多くの人が挫折してしまうのです。そこで、前述したＡＢＣモデルの「よい結果」が必要になるわけです。

もう１つやっかいなのは、せっかく勉強のための時間をつくり出しても、その大切な時間を他のどうでもいいことに費やしてしまうことです。

たとえば、せっかく30分ほど時間を取って英会話の勉強をしようと教材を開いたのに、ふと横に置いてあったスマホに手を伸ばし、SNSのタイムラインを読みふけってしまった、というようなケースです。あるいは、いきなり本棚の整理を始めてしまったり、ビールを飲み始めてしまったりという覚えが、あなたにもあるでしょう。

こうした、SNSチェックや本棚整理、ビールを飲むことなどが、本来の望ましい行動を邪魔するライバル行動です。

ライバル行動は、行動した瞬間によい結果が得られる魅力的なものです。スマホを開く「だけ」で面白い情報が手に入る、本棚を整理する「だけ」で部屋がきれいになり達成感がある、ビールを飲む「だけ」で美味しくて気分がよくなる。ライバル行動は、誰かがそれをあなたにさせるのではなく、あなた自身が行います。

だったら自分でやらないようにすればいいだけの話ですが、なかなかそうはいきません。人間は、何かにつけて「サボる材料」を見つけたがる生き物だということです。**「やるな」と言い聞かせてもダメで、できないようにする仕組みが必要**なのです。

行動を変えるには「5つのステージ」が必要

これまで何度も「仕組み」という言葉を使ってきましたが、これこそが学習計画を立てるにあたり、忘れないでほしいポイントです。

勉強の仕方は十分わかっているあなたが、続ける仕組みを知らないでいたために、これまで挫折を重ねてきたのです。

人は長年の習慣をなかなか変えることができません。これまであなたは、自分なりのやり方を築いてきたことでしょう。

そこに、新しいことを割り込ませ、かつ定着させるのは簡単なことではありません。

行動科学マネジメントの理論に従えば簡単なのですが、意思の力でやろうとしたらまずできません。

人間はそんなに強いものではありません。すぐに飽きるし、楽な方向に走りたがるし、面倒くさいことはやりたくないのです。

そんな私たちが、**新しくよい習慣を身につけるには、少しずつ変えていくことが大切です。**

これを、「行動変容理論」といいます。

行動変容理論には「行動変容ステージモデル」というものがあります。そこでは、人が行動を変える場合、5つのステージを通過すると考えられています。

無関心期＝6カ月以内に行動を変えようと思っていない
関心期＝6カ月以内に行動を変えようと思っている
準備期＝1カ月以内に行動を変えようと思っている
実行期＝行動を変えて6カ月未満である
維持期＝行動を変えて6カ月以上である

まずは「6カ月続ける」を目指す

行動変容の話を続けましょう。

5つのステージを見ていただくとわかるように、つまり、**6カ月続いて、ようやく「維持できている」**ということになります。

あなたが勉強に取り組む際も、今、自分がどのステージにいるかを把握し、それぞれのステージに合わせた自分への働きかけが必要になります。

もし、これまで「勉強なんて今さら……」と他人事にしてきたとしても、そうした無関心期と思われる時期に、漠然とでも「このままではまずい」と認識したなら、行動変容の一歩が踏み出されているのです。

関心期には、自己の再評価を行うことが推奨されています。たとえば、これまで勉強してこなかった自分をネガティブに捉え、逆に、勉強を始めた自分をポジティブにイメージするといった具合です。

準備期には、自己の解放として、これから自分がやろうとしていることがうまくいくという自信を持ち、かつそれらを周囲に宣言することがすすめられています。

最後の実行期と維持期は、まさにABCモデルを用いて説明してきたことと重なります。実際に望ましい行動を取り、それを繰り返し維持できるまで持っていく時期です。そのために、行動変容理論でも、自分へのご褒美、周囲のバックアップなど、仕組みの力を借りることを説いています。

もう一度、確認しておきます。

あなたが目標に到達できるのは、意思の力によってではありません。仕組みを用いて望ましい行動を繰り返し、少しずつ変わっていくことによってのみ、可能になるのです。

学びを継続するための4つのステップ

ここまで述べたように、「行動」に着目、望ましい行動を繰り返すことで、徐々に大きなゴールにたどり着くのが行動科学マネジメントの手法です。

次章以降では、「学び」を継続するための具体的な方法を、

ステップ1：目的発見
ステップ2：目標設定
ステップ3：行動設計
ステップ4：検証

……という4つのステップに沿って説明していきます。

第3章

ステップ1

〔目的発見〕

「学ぶ目的」を正しく発見する

「何を・どれくらい学ぶか」は焦らず決める

ここまで読み進めてきたあなたは、「何かを学ばなくてはいけない」ということを十分に理解したはずです。

充実した100歳人生を送るにあたり、何か夢中になれるものを持ったり、新しいことに挑戦するために学びは必須です。

あるいは、職能型から職務型へとビジネススタイルが移行し、企業の評価制度そのものが変わっていく時代において、学び続けなければ自分の価値を高く保つことができないということもおわかりになったでしょう。

しかしながら、何をどのくらい学んだらいいのかということについては、まだ明確に定義できていないのではないでしょうか。

学びの対象を決めるという重要な課題について、答えを把握できていないまま本書を読み進めていることを、決してマイナスに考える必要はありません。それを、**これからしっかり掘り下げていけばいいのです。**

むしろ、「自分の学ぶべきことはすでにはっきりしている」と自信満々でいるほうが、私としては心配です。

というのも、「○○を学ぶぞ」と決めてかかっている人たちの中には、「なぜそれを学ぶのか」「それを学ぶことによって自身の未来がどう変わるのか」ということについて、具体的に検討していないケースが多々見受けられるからです。

もしかしたら、切羽詰まっているがゆえに「早く何か始めなくちゃ」と気が急いてしまうかもしれません。そこで見切り発車して見当違いな勉強に時間を費やせば、失うものが多くなります。また、「やってみたけれど役に立たなかった」という失敗体験によって、学習意欲が削がれてしまうでしょう。

だから、ここで焦ってはいけないのです。

2つの物差しで考える

「何を学ぶか」「どれくらい学ぶか」を考える場合に、重要な物差しが2つあります。

まず、**「皆が当然のようにできていることができないようではダメだ」**ということ。

加えて、**「誰でもできることをできてもしょうがない」**ということです。


矛盾しているようですが、これを押さえておく必要があります。

たとえば、あなたが勤めている会社がすでにグローバル展開をしており、外国人との会話が必須であるならば、当然、ある程度の英語力が必要です。

英会話に自信がないのならば、今すぐにでも学習に取り組むべきでしょう。

一方で、多くの社員がTOEICスコア700以上である職場で、750だというのは大きな強みにはなりません。

900超えを目指すのでなければ、英語の勉強をいつまでも続けることが得策かどうかわかりません。

それよりもむしろ、他の人が持っていない資格や、あなただけの強みとしていける要素がないか探ったほうがいいかもしれません。

抜きん出てトップクラスを保持できるのでないなら、そこはほどほどにしておいて、まったく違う分野の学びを選ぶことも必要でしょう。

株の世界ではありませんが、**世の中の大きな流れや人々が進もうとしている道を見極めながらも、時には自分だけ逆を行く発想も必要**なのです。

「経験の棚卸し」をする

何を学ぶかを決める前にやるべき大事なことは自分の「経験の棚卸し」です。**これまで自分はどんなことをやってきたのか。今の自分にはどんなスキルが身についているのか。それは、どのくらい評価されているのか。**こうしたことについて、必要であれば周囲の人たちの声も参考に整理してみましょう。

そして、5年後、10年後に社会がどうなっているのか、そこで今の自分のスキルは生かせるのか、足りないものは何なのかということをじっくり考え、書き出して整理し、そこから逆算して学ぶ目的を見つけていく作業が必要です。

これから日本の労働人口は激減し、企業は人材確保に躍起になります。一方で、いずれＡＩは安価なものとなり、人材不足を補っていくでしょう。こうした状況において、あなたはどのように生きていくのか。徹底的にシミュレーションしてほしいのです。

5年後、10年後という未来予測はそう簡単ではありません。2007年に米アップルがiPhoneを世に出す前、「これからはスマホが人々の〝メインコンピュータ〟になる」なんて、ほとんどの人が予測できなかったでしょう。曖昧な自分の想像に頼るのではなく、確度の高い情報をいくつも集めた上で棚卸し作業を行わなければなりません。

では、その情報をどこに求めたらいいのでしょうか。

もしかして、あなたは「もっとも重要な情報はインターネットの中にある」と考えていないでしょうか。それは誤った思い込みです。ここまで「速度」が極まった社会では、**むしろ新しさは大した価値を持たなくなっています。**

こうした時代だからこそ、インターネット上で流布するニュースだけではなく、新聞や書籍を読みこなすことをおすすめします。

なぜなら、最新なはずのインターネットの情報は、すでにほとんどの人に届いており、かつ選別されているからです。

「自分のいる世界」から視野を広げる方法

「何を学ぶか」を考える際に大事なのは、ある事象があったときに、そこに何が隠されているのかを見ていくことです。**単純に事象を眺めるだけではなく、その裏にある物事の本質を自分で考える力**が必要なのです。

たとえば、「Aという製品がブレイクしそうだ」という情報がいくつかのネットメディアで流れたとしましょう。

それを知って「価値ある情報をゲットした」「Aに関連する分野を追いかけよう」と思うのは早とちり。同じことを、すでに何十万人という人たちが同時に知っています。

「なぜ、Aがウケているのか」

「なぜ、Bではダメなのか」

こうしたことを多角的に掘り下げていってようやく、あなたが勉強すべき内容のヒントが見えてきます。

こうした「自分で考える力」は、比較するべき情報や背景情報、他業界から見た場合の分析などもインプットしたほうが素早く身につきます。そうしたことをしやすい媒体が、新聞や書籍ということです。新聞や書籍を読むときにはいつも、「自分はどんな勉強をすべきか」という質問を自らに投げかけてください。

さらに、新聞は「紙媒体」でも読むことをおすすめします。

紙であれば、Ｗｅｂニュースと違って、半強制的に興味のない分野の情報も目に飛び込んできます。これが最大のメリットです。

Ｗｅｂで読みたいところだけ読んでいたのでは、今、自分が身を置いている世界の延長線上にある情報しかゲットできませんから、新しい学びの対象もごく限られたものしか見つかりません。

新聞を丁寧に読み込もうとすると、相当な時間がかかります。朝30分早く起きて見出しとリード文だけでも目を通し、残りは通勤電車の中やランチタイムに読むといった工夫をしてみましょう。**これも小さな学びの習慣となります。**

「流行っているもの」に価値があるとは限らない

最近、「DXを学ぶべきですよね?」とよく質問を受けます。急速にあちこちで耳にするようになったために、「学ばなければ大変なことになる」と思ってしまうのかもしれません。

さまざまなビジネスがテクノロジーによって変革されている現状を考えても、DXの基本はわかっていたほうがいいに決まっています。が、誰にとっても最優先で取り組むべき課題かと問われれば、答えは「NO」です。

DXが必要かどうかと質問してくる人たちの中には、そもそもDXがどのようなものかを知らずにいる人もたくさんいます。そういうときには、まずDXの参考書を1冊買って読んでみましょう。

DXがどのようなものなのか、ある程度かじってみて、本当に「自分にもできそう」

「やってみる価値がありそう」と思えたら、学びの候補に入れていいでしょう。

むろん、これはＤＸに限った話ではありません。

このプロセスで大切なのは、**新しいもの、流行っているものが漠然と「役に立ちそうだ」と考えないこと。**いつまでにどういう形で役に立つのか。将来的に、それによって自分はどんな価値を得ているのか。他の人たちよりも抜きん出て使いこなせるのか。あらゆる角度から検証し、かつ数値を用いて考えてみることです。

英語の勉強にしても同様です。これからのビジネスパーソンにとって、ある程度の英語力は必須です。すでに多くの日本企業で、昇進・昇格試験に英語が必須科目として入っています。ただ、求められるレベルは企業によって違ってくるでしょう。

そこをＴＯＥＩＣスコアなどの数値で具体的に考え、「本当に自分は今、急いで英語を学ばなければならないのか」を検討してみましょう。

他にも、さまざまな資格試験、ビジネス書を中心とした読書、会計学など、ビジネスパーソンに必要とされる勉強はいろいろあるでしょう。しかし、いずれも「勉強のための勉強」にしてはなりません。

第4章

ステップ2

〔目標設定〕

「目標」を数値化する

「数字」で「低め」に設定

学ぶ目的が定まったら、次のステップは目標の設定です。

ここで重要になるのは、次の2つです。

①目標を数値化する

②ハードルを低めに設定しておく

多くの人が立てがちな「曖昧なのに立派な目標」、たとえば「ネイティブレベルの英会話力を身につける」とか「話題のビジネス書を全部読む」とか「業務に関するインプットを増やす」とか「高齢社会を見据えた勉強をする」といったものは、まず失敗します。

というのも、そもそもこれらは目標になっていないからです。

目標は、明確でなくては目指せませんし、到達できたのかも検証できません。

また、**目標は、それを人に伝えたときに、AさんもBさんもCさんも同じように理解してくれるものでなくてはなりません。**そういうものに落とし込んで初めて、私たちは「あそこに向けて進もう」と動き出すことができます。

さらに、目標を高く設定すると、どこかで「できっこない」という気持ちが働き、思ったことを真に受ける脳のクセによって実際にできなくなります。「できない」と自分で自分にブレーキをかけてしまうのです。

それよりも、**「こんなに小さなことでいいのかな」と思えるようなことを確実に成し遂げ、成功体験を重ね、「自分は何をやってもできちゃうな」という自信**を深めたほうがその後の継続につながります。

図 4-1　目標は「数字」で「低め」に

例 1

× ネイティブレベルの英会話力を身につける

↓

◎ 1年で業務関係の英語を理解し、話せるようになる

例 2

× 話題のビジネス書を全部読む

↓

◎ 「週間ベスト10」に入ったビジネス書を
毎週1冊読破することを1年間継続する

例 3

× 業務に関するインプットを増やす

↓

◎ 新しい企画を生むために毎日30分、日経新聞や
ネットで最新事例をリサーチする

例 4

× 高齢社会を見据えた勉強をする

↓

◎ 自分事として介護を学び、
○○資格を半年で取得する

曖昧な目標は「挫折」のもと

私の知人に、非常に質の高いセミナーを行うことで知られる経営者がいます。彼のセミナーには、毎回1000人近くのビジネスパーソンが参加し、参加者は皆、たいてい高揚して会場を後にします。

セミナーでアドバイスしたことについて、1000人中900人が「さっそく今日からやってみます」というけれど、**実際に行動を起こし、かつ継続できているのは2〜3人**だと彼はいいます。

たいていの人は、やった気になっておしまい。私が指摘するまでもなく、「やった気」はやっていないのと同じです。

それどころか、ある程度の時間やお金を費やした上に、「自分は実際にはやっていない」という自己否定感を少なからず生み出してしまうので、参加しないほうがいいくらいなのです。

こういう結果を招いてしまうのは、目標が明確になっていないからです。明確になってさえいれば、「できた」「できなかった」が一目でわかるので、自分に対する曖昧な評価も下しようがありません。

たとえば、「1年後にTOEICスコアを750以上にする」というのであれば、それが実現したか、しなかったかがはっきりします。

しかし、「1年後にTOEICスコアをアップする」あるいは「TOEICスコアを750以上にする」と、スコアか期限のどちらかが示されていなければ、その目標は途端に曖昧なものになってしまいます。

もちろん、できないことがあってもいいのです。できないとわかれば、高すぎる数値目標を修正していくことが可能です。しかし、曖昧なままではそれもできません。

「MORSの法則」で徹底的に具体化する

目標というのは、美しい言葉で飾られたふわふわとしたものではありません。

そのために必要な行動が繰り返された結果、たどり着くことのできる、明確なゴールのことです。

皆さんの目標が達成されるかどうかは、ひとえにそのための行動が取られ続けたかどうかにかかっています。逆にいえば、目標を立てる際には、そのための行動がどういうものかを意識し続けなくてはならないということです。

これまでも述べてきたように、行動科学マネジメントでは心の領域に踏み込むことはせず、行動だけに着目します。

では、「行動」とは何なのか。行動科学マネジメントでは、「MORS（モアーズ）の法則」に従って行動を規定しています。これは「具体性の法則」とも呼ばれ、次の

4つの要素からなっています。

M＝Measurable（計測できる）
O＝Observable（観察できる）
R＝Reliable（信頼できる）
S＝Specific（明確化されている）

これらのうち、1つでも欠けていれば「行動」とは見なしません。

管理職の方であれば、部下の目標設定や人事評価に携わるようになると、「ただの努力目標ではなく、数値に落とし込め」と指示することがあるでしょう。これと同じように、皆さん自身の**学習目標も**、**数値で管理**するべきなのです。

皆さんが立てる目標について、MORSの法則に従って、徹底した具体化を図ってください。

特に「M＝Measurable（計測できる）」は重要です。期限、点数など数値化できる要素を必ず入れ込みましょう。

私の趣味であるランニングもそうですが、ただ**「速く走れるようになりたい」という漠然とした目標を掲げていても、なかなかうまくいきません。**

2カ月後には休まず30分走り通せるようになりたい。

年末までに5キロの距離を30分で走れるようになりたい。

このように、具体的な数値を入れることで、その目標が達成できたかできなかったかがはっきりし、見直すべき点も明確になっていきます。

図 4−2 「MORSの法則」の実践例

①学びの対象と目的、その手段と数値目標を考える

学びの対象と目的	手段と数値目標
例）自分事として介護を学ぶ	・月2冊、専門書を読破 ・半年で○○資格取得

②MORSの法則に従って、行動を具体化してみる

- M＝Measurable（計測できる）

  業務が忙しい中、知識ゼロでも「月2冊」の専門書を読める？

- O＝Observable（観察できる）

  資格取得の勉強はいつやる？
  座学なら土日にしたほうがいい？

- R＝Reliable（信頼できる）

  土曜は子どもの学校行事が入ることもあるから日曜にする？
  それとも平日の通勤時間を使ったほうが確実？

- S＝Specific（明確化されている）

  月2冊の本を読むなら、だいたい2週間で1冊のペースでよい？
  まとめ読みする時間がなさそうなら、細切れで読む？

③数値目標を見直す

・月2冊、専門書を読破
　→平日は帰宅前にカフェで毎日20分、10日で1冊読む
・半年で○○資格取得
　→毎週日曜の3時間を勉強時間にあてる

息切れしない数字が一番

目標数値の設定は、最初から高くしすぎないことが重要です。物足りなく感じるくらいにしておきましょう。

予想していたよりも勉強が順調に進み、目標を上方修正するというのは非常に心地よいもので、自分の中に強い自己肯定感が生まれます。

逆に、下方修正するのは自信喪失につながります。**うまくできたら少しずつ高くしていけばいいのに、多くの人は逆をやってしまう**のです。

目標数値をいきなり高く掲げれば、どうしても勉強もハードなものになっていきます。欲張って「週に5日、1時間ずつやろう」とすれば、最初は何とかなっても、やがて息切れします。1カ月も待たずに挫折するでしょう。

一方で、「週2回、20分ずつでいいとするか」と低めに設定しておけば、続けられ

図 4−3　目標設定シートの例

ゴール		
介護を学び○○資格を半年で取得する		
勉強の内容		
月2冊、専門書を読破する		
（行動目標）	（期限）	（実施確認）
例）平日は帰宅前にカフェで毎日20分、10日で1冊読む	×月×日 ｜ ○月○日	○

る可能性はぐっと高くなります。

こうして「週に2回、20分ずつ」がすっかり習慣になり、「もっとできる」と思ったら、そのときに回数を増やすなり、時間を延ばすなりすればいいでしょう。

物事は続きさえすれば成果が出ますが、続けることが非常に難しい。「そこまでやらなければならないのか」と感じてしまうような高すぎる目標設定は、続けることをためらわせます。

第5章

ステップ3

〔行動設計〕

無理なく学ぶための計画を立てる

4つの要素で行動設計

では、いよいよ、あなたがどのように勉強していくかの行動設計をしてみましょう。

行動設計には、次の要素があります。

Ⅰ　スケジュールの組み方
Ⅱ　スモールゴールの設定
Ⅲ　ご褒美（リインフォース）
Ⅳ　環境づくり

これらの行動設計をすべてきちんと行うことが重要で、どれかが欠けていれば、たいてい挫折してしまいます。

図5-1 行動設計の4つの要素

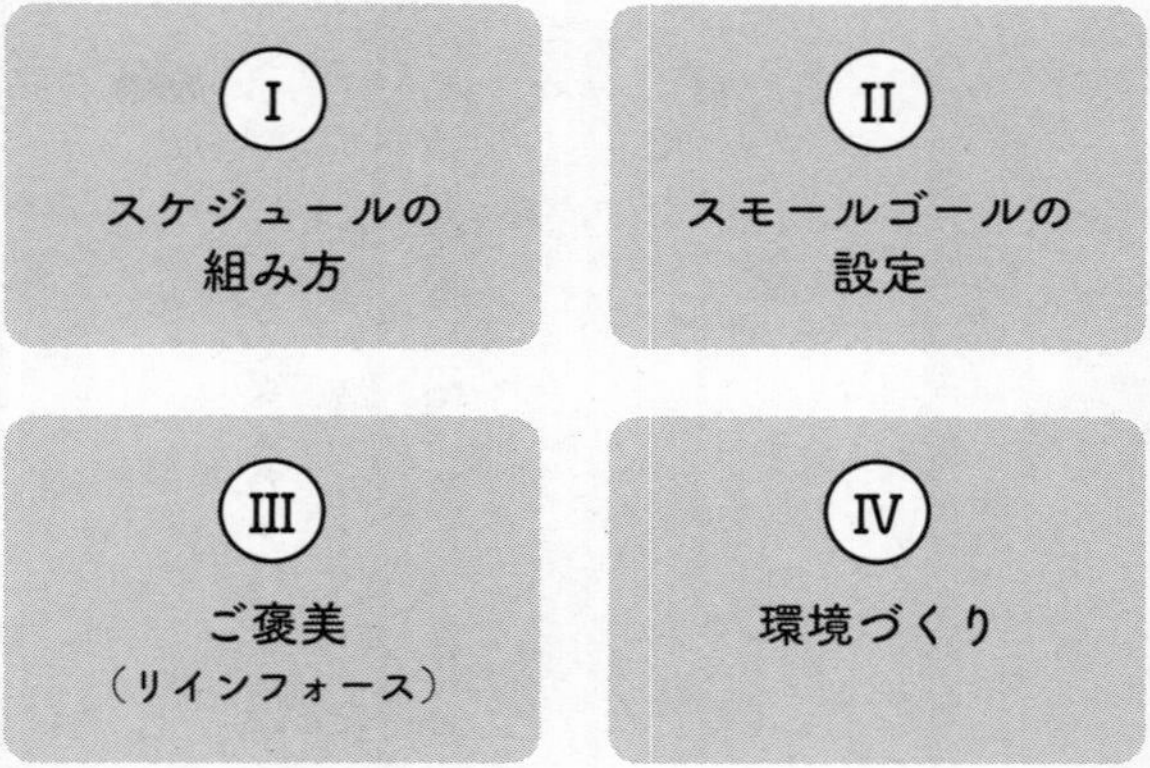

ところが実際には、「一刻も早く勉強を始めなくては」と、**行動設計をおろそかにして目標に向かって突き進んでしまう人がほとんど**を占めています。

あるメーカーの40代マネジャーは、「今度こそ英会話をものにする」が口癖です。

いつも最初は威勢がいいのですが、次に会ったときにはすっかりトーンダウンしています。

彼は、いきなり英会話学校に申し込んだり、ヒアリング学習用の教材を全巻そろえたりと、最初にどかんと投資をします。

「高いお金を支払ってしまえば、嫌でも頑張るはず。こうでもしないと自分はダメなんだ」

というのです。

ところが、それでもダメなのは、行動設計がまったくできていないからです。

あなたは、同じ轍《てつ》を踏んではいけません。

4つの要素の順番に沿って、どう行動設計すればいいのかを説明していきましょう。

I スケジュールの組み方

どうせ勉強するなら、
毎日1時間はやりたい！

失敗するAさん

無理なく続けられる、
ゆるいスケジュールを組もう

成功するBさん

生活パターンを洗い出し「使える時間」を見つける

結果につながる勉強方法が「行動の蓄積」だとすると、その行動を自分の生活のどこに入れ込めるのかを客観的に考える必要があります。

まず、自分の生活パターンの洗い出しを行いましょう。

手帳やスマホのカレンダーを見直し、**過去2週間くらいのスケジュールをさかのぼって書き出してください。**

決まった生活パターンがないという人は、1カ月分を振り返ってください。

これを面倒がると、「やっぱり、勉強に使える時間なんてないんだ」と振り出しに戻ることになりますので、じっくり取り組みましょう。

次に、書き出した過去のスケジュールを眺め、どこかに空いている時間がなかったかを探してみてください。

何もせず、ぼーっとしていた時間はないかもしれません。それでも、通勤電車に揺られている30分とか、ランチを食べ終えた後の15分とか、**勉強にあてられそうな隙間時間はありませんか？**

人によっては、「毎週火曜日の朝に取引先を訪ねるのだけど、早めに着くようにしているので、必ず15分は空き時間がある」といった隙間も探し出せることでしょう。

こうした隙間時間に加え、就業前、終業後、休日など、勉強に割けそうな時間を列挙してみましょう。

最初の3カ月は「これっぽっち」でOK

洗い出しを行った結果、ずいぶん隙間時間を見つけ出せたのではないかと思います。しかし、それら全部を勉強に使おうなどとは、間違っても思わないでください。

最初の3カ月ほどは、ごくゆるめに学習スケジュールを組みます。

たとえば、**週に2〜3回、1回15〜30分くらい**にしておきましょう。週に2〜3回、1回15〜30分というと、合計で週に30〜90分です。

「それっぽっちじゃ、何も勉強できないよ」

こう感じる方もいるでしょう。でも、慌てることはありません。

最初の3カ月でぜひ身につけてほしいのは、「これなら続けられる」という感覚です。

「何だか物足りないぐらい簡単だ」と思えたら、スタートとしては大成功。

3カ月を無事にやり遂げられたら、もう少し勉強時間を増やしていきます。

第2章で述べた「行動変容理論」を思い出してください。

新しい行動が習慣化する「維持期」を迎えるまで、本当なら6カ月以上を必要とします。だから、その半分の3カ月は、勉強の内容自体よりも、行動の習慣化を最優先してほしいのです。

この本を読んだことをきっかけに「学ぶ習慣」を身につけるか、それとも、あくまで突発的に知識を詰め込み、目の前の仕事だけに対処して終わるのか。前者を目指すならば、**「徐々に」を大切に考えていきましょう。**

ここで注意してほしいのは、一度決めたら、その時間は必ず勉強するということ。「今日はまあ、例外でいいか」を一度でもやってしまうと、いずれ例外だらけになっていきます。これではとても習慣化できません。

これについては、次項で詳しく説明します。

「例外」は一切つくらない

計画を立てる際に大事なのは、「できている状態」を確実に続けることです。学びをきちんと習慣にしていくためにも、最初はゆるすぎるくらいの計画がいいのです。ゆるめに組んだつもりの学習スケジュールを、もう一度眺めてみてください。そして、自分に問いかけてみましょう。

「これから3カ月、決めた時間は必ず勉強できるか？」

もし、自信が揺らぐ箇所があったら計画を見直します。「これなら楽勝だ」と思ったら、それを実践してみましょう。

3カ月の途中で、「あまりにも楽勝すぎる」と感じたら、もう一コマ分、勉強時間にあてる枠を取ってもいいでしょう。ただし、その時間帯についても例外を認めることなく、決めたら必ずやるようにしてください。

3カ月が過ぎて、勉強時間を増やすことにした場合も、「決めた時間は必ずやれるか?」を自分に問い、スケジュールを検証するクセをつけてください。

「まあ、何とかなるんじゃないの?」という曖昧さは、一切排除していきましょう。

Aさん「15〜30分で勉強なんてできないよ。だったら平日はあきらめて、土曜日を丸々勉強にあてよう」

Bさん「通勤電車はただでさえ疲れるから勉強は週末の金曜日だけにして、しかも一番混む時間を避けた15分。それから、月曜日と水曜日は帰宅途中にカフェに寄ってコーヒーを飲みながら20分だけやってみよう」

Aさんの場合、最初の2〜3回は計画通りに過ごせても、突然の休日出勤、子どもの学校の行事、冠婚葬祭への出席などによって、できない日が必ず出てきます。それに何より、「徐々に変える」という行動変容理論に背いているため、習慣化まで持っていけず、いずれ放り出してしまうに違いありません。

一方、Bさんのケースでは、帰宅途中のコーヒータイムが心地よく、20分の予定が少し伸びるかもしれません。

休み中も同じリズムで

小学校でも中学でも高校でも、カリキュラムが組まれています。学校に行くことは、すなわち勉強することに直結します。

仕事も同様で、会社に行けば勤務時間内はすべきことがしっかり決まっているでしょう。

ところが、大人になってからの学習では、こうした「ルーティン」は用意されていません。だから、そのルーティンを自分で構築する必要があるのです。

そのときに大事なのが、学校や職場のように「毎日行く」という姿勢です。いえ、学校や職場には「休みの日」がありますが、大人の学習にはそれすら設けないほうがいいのです。

というのも、**大人の学習で失敗するのはたいてい、「休日にだらけてしまって、そ**

のまま嫌になる」か、「休日に張り切りすぎて、とても続かない」かのどちらかだからです。

理想は、休日という例外なしに、毎日同じように勉強すること。土日はもちろん、正月もGWもお盆も関係なく勉強することです。

あなたは毎日、歯を磨きますね。子どもの頃は親にいわれてしぶしぶ行った歯磨きも、習慣になれば毎日やります。勉強もそれと同じレベルの習慣にしてしまうのが一番です。

繰り返しますが、そのためには、**無理な計画を立てないこと**。

よくありがちなのが、前項のAさんのように「休みの日こそ勉強デー」と考えてしまうことです。土日に合わせて10時間くらいを勉強にあてようとする人がいますが、おそらく早々に挫折します。

それよりも、毎日コツコツが大事です。夏休みに海外旅行に行くとしても、決めた時間は勉強しましょう。**海外に行っても歯は磨く。それと同じことです。**

私がフルマラソンを走るまで

40歳を過ぎてからランニングを始めるにあたり、私が指導を仰いだ専門家は、行動変容理論をよく理解した人でした。

私自身は、どうやったら続けられるかについては知っていましたが、正しいランニングのやり方はわかりませんでした。そこで、最初にシューズやウェアといったそろえるべき用具を教わり、それを身につけてフォームを習いました。

その上で、最初は週に2回、15分歩くことから始めました。

それに慣れてきたら、歩く時間を30分に伸ばしました。

それにも慣れてきたら、30分の中の5分だけ走るようにしてみました。

5分走れるようになったら次は10分走るように、と30分の中で走る部分を増やしていき、最後には30分走り通せるようになりました。その後、走る回数を増やす、距離を長くするなどとやっているうちに、いつの間にか42・195キロのフルマラソンを走れる自分がいたというわけです。

II スモールゴールの設定

寄り道せずに
一気に目標まで走り抜けるぞ

失敗するAさん

小さいゴールに分割して
1つずつこなしていこう

成功するBさん

800ページの本は「10ページ×80個」と分割

コンサルティング会社に勤める30代の女性が、国際会計基準の勉強をするために分厚い専門書を買ってきました。800ページくらいあり、値段も1万円近くになります。彼女は、その本を机の上に置き、自分に言い聞かせました。

「まず、これを読破しよう。頑張れば1カ月あればできるはず！」

ページを開き、最初から読み始めてみたものの、堅苦しい表現や難しい専門用語に引っかかり、なかなか進みません。

時間を見つけては机に向かってみるものの、いつまで経っても1割にも到達できないことに嫌気がさし、投げ出してしまいました。

「こんなものを読んでいる場合じゃない。他の方法を考えよう。専門学校の短期講座に通うのが一番かな。でも仕事は休めないし……」

せっかくの高価な専門書は、今ではほこりをかぶっています。彼女は今のままだと、他の方法を探しても同じ結果になるでしょう。最初から「読破」という大きなゴールを目指していましたが、その思考に落とし穴があるからです。「こんな分厚い本、普通に読んだら最後まで行きっこない」という、自分への認識が必要でした。

そもそも800ページの専門書を、800ページの塊として考えたら、誰でもうんざりして当たり前です。私だったら、紙の本を電子化して持ち歩くために、10ページずつ80個のPDFファイルにバラしてしまいます。

800ページを読破するというビッグゴールを目指すのではなく、10ページのスモールゴールを80個つくるのです。

手間もかかりますし、「高価な本をバラすなんてもったいない」と感じる人もいるかもしれません。

ただ、目的は勉強で結果を得ること。きれいな本を残すことではありません。勉強が続く仕組みをつくるには、このくらい合理的に物事を進めるべきです。

「80個」のパーツを的確に割り振る

続いて、10ページずつ80のパーツに分かれた本を、いつどのように読むかを考えて割り振っていきます。

例に挙げた女性コンサルタントのスケジュールに割り振るならば、

・月曜日と水曜日の帰宅途中、カフェでコーヒーを飲みながら1パーツずつしっかり読む

・金曜日の通勤電車内でその2パーツを簡単に復習する

……といったことが可能になります。

この方法だと、1週間に2パーツ（20ページ）、1カ月で8パーツ（80ページ）を

確実に読み進められ、８００ページの難解な専門書も10カ月で読了できます。

もちろん、これは読書という行動であって、実際の勉強にはいろいろなパターンが存在します。単純に、分厚い参考書をバラすようにはいきません。

とはいえ、**どんな行動設計でもスモールゴールが絶対に必要です。**

スモールゴールがあることで、途中途中で達成感が得られ、最終ゴールにたどり着きやすくなります。

また、**スモールゴールに合わせ、勉強する内容の「割り振り」が的確にできることも重要なポイントになってきます。**

「たくさんのスモールゴール」で達成感を積み上げる

いくら勉強時間をつくり出しても、そこで何をやるかが明確になっていなければ無為な時間を過ごしかねません。**「15〜20分なんて短い時間では何もできないよ」という人は、その時間に合わせた「やるべきこと」を用意できないだけ**なのです。

短い時間で充実した勉強をこなし、スモールゴールを上手に設けて達成感を得ていくために、あなたの勉強内容を分解していく必要があります。

第4章の「ステップ2　目標設定」で立てた最終ゴールを見直してみると、途中にいくつかの節目があったはずです。まずは、それをスモールゴールとしましょう。

さらに、それぞれのスモールゴールに到達するまでにも、いくつかの小さな行動の繰り返しが必要となるはずです。それら必要な行動を、決めた勉強時間に割り振っていきます。

もちろん、「割り振った通りに進められない」ということも出てくるでしょう。**そのときは修正すればいいだけ。**

漠然とビッグゴールに向かっているのでは、修正のチャンスさえもつかむことができません。

達成感を得る場でもあり、修正を行える場でもあるスモールゴールは、多ければ多いほどいいと考え、たくさん設けていきましょう。

Aさん「まだこんなところか。だったらなおさら休んでなんていられない」

Bさん「ああ、よかった。考えていたところまでは、とりあえずできた」

Aさんはそろそろ疲れがたまってきています。本来なら、疲れたら休むのが一番なのですが、ビッグゴールはまだまだ先。頑張っている割には報われ感を抱けず、どこまで続けられるか心配です。

一方、Bさんは早くも小さな達成感を手にしています。いい波に乗っていけそうです。

100キロマラソンのスモールゴール

42・195キロのフルマラソンを走るのは、なかなか大変です。ましてや、100キロマラソンともなれば、「いつゴールできるのか」と気が遠くなります。

いくら好きでやっていることとはいえ、途中で「もう限界だ」と思うことはしょっちゅうです。それでも毎回走り切ることができるのは、私自身、スモールゴールの設定が上手にできているからでしょう。

どんな距離を走るにしても、私は最終ゴールのことはあまり考えないようにしています。その代わり、あちこちにスモールゴールを見つけ出します。

「苦しいけど、あの木のところまでは走ってみよう」

「次の給水ポイントまで頑張ってみるか」

「あの角まで行けたら偉いぞ」

こんなふうに、自分でスモールゴールを設定し、そこまで走ることを繰り返していると、過酷なフルマラソンでもゴールにたどり着くことができるのです。

Ⅲ

ご褒美（リインフォース）

勉強のご褒美なんていらない。勉強の成果を
仕事で発揮して、認められればそれでいい

失敗するAさん

ご褒美か。映画も観たいし、
焼き肉とかもいいよねえ

成功するBさん

ご褒美は前もって考えておく

行動設計で、真面目で実直な人ほどおろそかにしがちなのが、この「ご褒美」の設定です。

Aさんのように、ストイックに勉強に取り組む姿勢は素晴らしい。でも、ここまで読み進めてくれた方はおわかりの通り、何かを続ける上で「やる気」に頼るのはNGです。「人の意思は弱い」という前提に立って行動を設計しなければなりません。

だからこそ、**あなたが設定したスモールゴールに到達したら、達成感を味わうために自分にご褒美**をあげましょう。スモールゴールをたくさん設定しておけば、それだけご褒美も多くなり、勉強が楽しくなります。

「ABCモデル」を思い出してください。私たち人間が、何らかの行動を繰り返すのは、「それをやればいいことがある」という結果が用意されているからです。だから、

「このスモールゴールに到達したら○○が手に入る」と前もってわかっていたほうがいいのです。

行動科学マネジメントでは、望ましい行動を強化するご褒美を「リインフォース因子」と呼びます。よく使われるリインフォース因子には次のようなものがあります。

a　飲食物＝菓子、ジュース、果物など
b　操作物＝玩具、装飾品、趣味用品、文房具など
c　視聴覚へ訴える褒美＝映画を観る、音楽を聴く、絵を描くといった行為
d　コミュニケーション＝言葉でほめる、注目する、ほほ笑むといった行為
e　トークン＝シール、スタンプ、チケット類

この中で、「d」のコミュニケーションは、部下が望ましい行動を取ったときなどに上司によって使われることが多いものです。

「e」のトークンとはそれを集めることで何かと交換できるツールであり、チームで

仕事をするときのモチベーションアップに向いています。

勉強はセルフマネジメントであり、自分自身の行動をリインフォースすることになりますから、「a」「b」「c」の要素を入れ込むといいでしょう。

自分で自分にご褒美を与えるとき、それが高価なもので、用意するのが大変であれば負担が重くなり逆効果です。

もともと好きだったもの、たとえばお酒好きの人なら、1週間、予定通り勉強できた週末にはプレミアムビールを2本飲むといった感じで設定しましょう。

あなたにとって強いリインフォース因子となるものを、楽しい気分で考えてみてください。

効くご褒美、効かないご褒美

私たちが望ましい行動を繰り返すのは、ＡＢＣモデルでいうところの「先行条件」によるものではなく、それによってよい結果が得られるからだと述べてきました。

そこでご褒美を事前に決めるのをすすめているわけですが、ご褒美＝リインフォース因子をより効果的に設定するために知っておいてほしいことがあります。

行動科学マネジメントでは、**自ら取った行動によって得られる結果**を、次の３つの座標軸で考えています。

i　タイプ＝ポジティブ（P）か、ネガティブ（N）か

ii　タイミング＝即時（S）か、後（A）か

iii　可能性＝確か（T）か、不確か（F）か

ⅰについて、ポジティブなタイプを積極的リインフォース、ネガティブなタイプを消極的リインフォースと捉えます。たとえば、モノを受け取る、やせる、健康になる、楽しい気分になるなどが積極的リインフォース因子、何かを失う、太る、病気になるといったものは消極的リインフォース因子となります。

ⅱのタイミングはもっとも重要で、その結果が、即時に与えられるか、後から与えられるかを指しています。

ⅲの可能性は、それが与えられることが確かか、不確かであるかです。

これら3つの座標軸によって、

①PST（ポジティブ・即時・確か）
②PSF（ポジティブ・即時・不確か）
③PAT（ポジティブ・後・確か）
④PAF（ポジティブ・後・不確か）

⑤NST（ネガティブ・即時・確か）
⑥NSF（ネガティブ・即時・不確か）
⑦NAT（ネガティブ・後・確か）
⑧NAF（ネガティブ・後・不確か）

……という8つの組み合わせができます。

よくあるのが①「PST（ポジティブ・即時・確か）」、⑤「NST（ネガティブ・即時・確か）」、④「PAF（ポジティブ・後・不確か）」、⑧「NAF（ネガティブ・後・不確か）」です。

ポジティブなケース、ネガティブなケースともに、その結果がすぐ、確実に与えられるか、それとも後からのもので与えられることが不確かであるかによって、行動が大きく変わるのです。

最高なのは「ポジティブ・即時・確か」

英語の勉強をして、TOEICのスコアが上がるというのは、間違いなくポジティブ（P）な結果です。しかし、それはずいぶん後（A）のことだし、本当にそうなるかは不確か（F）です。**こういう状態では人は行動を続けにくいもの。**

そこで、スモールゴールを設定し、たどり着くたびに自分で用意した小さなご褒美をあげる、つまり、ポジティブ（P）で、即時（S）で、確か（T）なリインフォース因子を用意してあげることが大切になってくるわけです。

ちなみに、禁煙したい人がなかなかできないのは、肺がんや心臓病にかかるというネガティブ（N）な結果は後（A）から来ることだし、実際に病気が発症するかも不確か（F）だからです。それより、大好きな人から「タバコ臭いからやめて」と嫌がられるというネガティブ（N）な結果は、即時（S）に、確か（T）に与えられます

図 5-2 ご褒美のよい例、悪い例

よい例：PST（ポジティブ・即時・確か）	悪い例：PAF（ポジティブ・後・不確か）
専門書を1冊読んだら、 大好物のビールを（P） 今夜（S） 自宅でゆっくり楽しむ（T）	TOEICで750点取ったら、 人事評価に反映される（P）としても それは春の人事のことで（A） 上司の判断による（F）

から、こちらのほうが効果的かもしれません。

いずれにしても、自分に与えるご褒美は「PST（ポジティブ・即時・確か）」が一番。お金がかからず、簡単ですぐに確実に得ることができるものにしてください。

Aさん「大きな結果を出すまで、楽しみは我慢したほうがいい」

Bさん「お、できた。さっそくご褒美にあのビアホールに行ってみよう」

Aさんは、まだ「やる気」で行動を強化できると思い込んでいるようです。しかし、現実問題としてそれは無理なので、結果を出すところまでたどり着けないでしょう。

一方で、Bさんは楽しみながら行動強化に成功しており、着実に前進しています。

私のご褒美のつくり方

私自身、「ご褒美は前もって設定」の法則に従っています。

たとえば、ハードなトライアスロンの大会に出場する前には「完走したら○○を買う」などと、具体的に決めています。

それどころか、年初に1年のスケジュールを考える際、私はまず遊びの予定を先に入れてしまいます。そして、それは決して動かさず、空いたところに仕事を入れていくという具合です。このやり方で、何か不都合が起きたことはありません。

もちろん、皆さんの仕事に私のパターンがそのままあてはめられるというものではないでしょう。

ただ、私たちが仕事や勉強に頑張れるのは、何らかの楽しみがあるからだということを忘れてはいけません。

よく、「この仕事が終わったら旅行の予定でも立てよう」という人がいますが、それをやっていると、いつまで経っても旅には出られません。

Ⅳ 環境づくり

自分のための勉強なんだから
独力でやり遂げる

失敗するAさん

誰か助けてくれると
ありがたいんだけど

成功するBさん

睡魔に勝てなければ「ベッドのないところ」に行く

私は以前、セミナー会場である女性参加者から、「資格取得のために朝の時間を使って勉強しようと考えているものの、うまくいかない」という相談を受けました。

いつもより1時間早く目覚ましをセットして必死で起き、顔を洗う。スッキリしたところで机に向かい参考書を広げる。すると決まって眠気が襲ってくる。

このとき、「いけない」と思いつつベッドに戻り、「5分だけ」と言い聞かせるものの、結局、遅刻ギリギリまで眠ってしまうということを繰り返しているのだそうです。

「せっかく机に向かうところまで行ったのに、なぜまたベッドに逆戻りしてしまうのか……。自分の意志の弱さをどう克服していったらいいのでしょう?」

彼女は、とても真剣に質問してきました。

それに対する私の答えは、実に簡単なものでした。

「ベッドのないところへ行きましょう」

ベッドがある環境に身を置いているからいけないのです。「本当はもっと寝ていたい」という気持ちでいるときに、数歩の距離にベッドがあると、誰だって誘惑に勝てません。それを**自分の意志の弱さだと嘆いている時間があったら、環境を変えてしまうに限ります。**

詳しく話を聞いていると、彼女の家のそばに24時間営業のファミリーレストランがあるとわかりました。そこで、目が覚めたら簡単な服に着替え、参考書を持ってそのファミリーレストランに行くことをすすめました。

彼女は、そこで朝食を食べながら1時間勉強し、家に戻って急いで身支度を整え出勤するという方法を取ることで、後日、見事に資格試験に合格しました。

もちろん、身支度をすべて整えてから家を出て、会社近くのカフェで勉強するという方法でもいいでしょう。

いずれにしても、眠ることができない環境に自分を置けば眠ってしまうことはない。実に明快な話なのです。

宣言して「後に引けない状況」をつくる

趣味と違って、業務に直結する勉強は、正直いって楽しいものではありません。もともとその分野が苦手だから勉強して補おうとしていることも多く、苦手なのは、そもそも好きではないからです。

皆さんが、好きではない苦手なことをやろうとしているのであれば、自分だけの力で成し遂げようとしないほうがいいでしょう。

あなたの勉強を応援してくれるサポーターを探しましょう。

もし、周囲に同じように勉強しようとしている人がいるならば、助け合いましょう。勉強に役立つ情報を交換し合うのはもちろんのこと、ＬＩＮＥで進捗を報告し合ったり、朝の時間帯などに誘い合って一緒に勉強するのもいいでしょう。サボったら相手にランチをごちそうするというゲーム性をプラスしても楽しいかもしれません。

勉強仲間以外にも、サポーターをつくりましょう。

一番いいのは、友人や会社の同僚に宣言してしまうことです。

「私は来年〇〇の資格を取得しようと思っています。もし、怠けていそうな気配があったらカツを入れてください」

ＳＮＳで宣言してもいいでしょう。否定的な反応があっても、それは気にしないでＯＫ。宣言すること自体に意味があります。

これによって、実際に「頑張っているか？」と声をかけてくれる人も出てくるでしょう。たとえ、忘れられてもいいのです。宣言することで後に引けない状況をつくり出すだけでも価値があります。

家族は最高のサポーター

家族にもサポーターになってもらいましょう。

同居している家族がいるなら、「これから6カ月、週に3日、30分ずつ英語を勉強して、TOEICで750点取るから」というように、数値をしっかり入れて具体的に宣言します。

そして、勉強しているところも見てもらいましょう。**サボっていたら、「ダメじゃない」と指摘してもらう**のです。

昨今、「リビング学習」を好む子どもが増えているといわれています。

子ども部屋を与えてもらい、そこに使いやすい学習机が置かれていたとしても、リビングのほうが勉強に集中できると、子どもなりに感じているからでしょう。

誰かの目がないと、つい余計なことをしてしまうのは、大人も子どもも同じなのです。

特に男性の場合、プロセスを見せることを「格好悪い」と感じ、結果を出してから家族に報告しようとしがちです。

しかし、**「こっそりやろう」と思っているのは失敗を予感している証拠で、その瞬間から弱気になっているのです。**

まずは、そんな自分と決別しましょう。

一人暮らしなら、離れて暮らす家族に事情を話し、定期的に応援メールなどを送ってもらうのもおすすめです。もちろん、家族でなく友人でもＯＫです。

図書館、公園、カフェ……勉強の「場」は複数持つ

勉強する場所については、フレキシブルに考えてください。

基本的に、集中できるならどこでもいいのです。日々、仕事に追われている人にとっての勉強は、長い時間をかけられるものではありません。30分集中できれば上々です。

ですから、腰を落ち着けられなくてもいいのです。

・図書館
・通勤で使う駅の近くにあるカフェ
・ちょっとした公共スペース
・近くの公園のベンチ
・通っているスポーツクラブのラウンジ

・レンタル式のワークスペース

……など、**いくつか「30分くらい集中できる場所」を確保**しておきましょう。

ある営業パーソンは、駅のベンチを活用しています。

一連の仕事が終わって会社に戻る際、途中の乗換駅で「15分だけ」と決めて、ベンチでビジネス書を読むのだそうです。ベンチが埋まっているときは立ったままですが、15分なら苦にならないそうです。

「今日は図書館が休館だった」とか「いつものカフェが満席だった」とか、**そんな理由で勉強をパスすることがないように、フレキシブルに考えている**わけです。

ぜひこの考えをまねてみてください。

スマホの電源をオフにする

そもそも、自宅に立派な書斎があれば勉強がはかどるというものではありません。というのも、自宅には集中を邪魔する要素があまりにも多いからです。

テレビをつけてしまう。SNSをチェックしてしまう。子どもと遊んでしまう。このように、あなたの家には、勉強よりも楽しいことがたくさん用意されています。

そういう場で、さまざまな欲求と戦いながら勉強するのは、大変なものです。

そこで、**家で勉強するときには、「ライバル行動」が起きないように手を打っておきましょう。**

たとえば、テレビのコンセントは抜き、スマホは電源を切るか、違う部屋に置いておく。子どもに遊ぼうと誘われても、「2時間待ってね」と言い聞かせておくなどです。

実は、禁煙をしたいと思いながらできない人の家には、ある特徴があります。灰皿があるのです。

「灰皿くらい、どこの家にもあるだろう」と思っているようでは、ライバル行動を駆逐できません。そもそも、禁煙を決意しながら、なぜ灰皿を捨てないのでしょう。「もしかしたら、また使うかもしれない」という気持ちがあるからです。

それと同様のことが、あなたの中にも起きていないでしょうか？

「途中で、ニュースくらいチェックしておこう」

「仕事の連絡が来るかもしれないし、スマホは身近に置いておこう」

「息子と遊ぶのは、大事な子育てだしな」

こうして、ライバル行動の受け入れ態勢を整えていませんか？

私たち人間は、自分で考えているよりもはるかに怠け者です。勉強よりも楽しいことがあれば、「ちょっとくらい」のつもりでついつい手を出し、そのままのめり込んでしまいます。

行動設計をするときには、こうしたことも考慮に入れ、**勉強する時間や場所など、細かいことを決めていく**必要があります。

心身管理も大事な要素

効率的に勉強を進めるためには、心身の状態の安定も重要です。私は、体調チェックにデジタルツールを活用しています。たとえば、腕時計は、心拍数計測機能がついたもの。計測値を自動的にデータに残してくれるタイプで、自分がどのような状況に置かれたときに、メンタルにどういう変化が表れているのかを把握できます。

それに加え、ベルトなどに通して腰のあたりに密着させておくだけで、歩数、姿勢、呼吸の状態を分析し、リアルタイムでフィードバックしてくれるウェアラブル端末も使っています。

集中して勉強していると、どうしても体がガチガチに固まってしまいます。そんなときに、この端末は、立ち上がってストレッチをすることをすすめてくれたり、深呼吸をしてリラックスするようアドバイスをくれたりします。また、iPhoneのアプリと連動させてデータ管理を行うことも可能です。多少の費用をかけても、こうしたツールは、効率的な学習のために取り入れる価値はあると考えています。

第 6 章

ステップ4

［検証］

確実に学びを継続する

計画通りにできているかを「○×」でチェック

「今度こそ○○をやろう」と決意して挫折したとき、人は自分に対して「またダメだった」とネガティブに捉えるだけで終わらせてしまいます。

「どうしてダメだったのか」「何がダメだったのか」について検証しなければ、また次も同じことを繰り返してしまうのですが、自分の失敗について掘り下げるのは気が重い作業であり、「また、次にやり直せばいいや」というところに逃げてしまうのです。

当然のことながら、それでは次回も同じ結果が待っています。

この悪循環を断ち切るためにも、**行動設計の通りに勉強ができているかどうかの検証は必須です。**

たとえば、あなたが「週3回、月・水・金に30分ずつ勉強する」と決めたのなら、できた日には○をつけます。もしできなかったら×をつけ、その理由もきちんと明記していきましょう。

こうしたチェックは、自分だけが見る手帳やエクセルファイル、スマホではなく、リビングに下げられたカレンダーなど周囲の人たちに見えるものを用いて行いましょう。

一番いいのは、チェックシートを用意することです。図6−1のような学習進捗チェックシートを自分でつくり、見やすいところ、書き込みやすいところに貼っておきましょう。

このシートに○が並んでいくのは達成感にもつながりますし、**あなたの中に「自分はできる」という自己肯定感が生まれます。**

図6-1 学習進捗チェックシートの例

目標				
1年後に○○資格を取得する				
スモールゴール				
1. 問題集を毎月1冊解く			2. オンライン講義を毎月2時間受講	
期間	週次でやること	結果	週次でやること	結果
1/30 ~ 2/5	問題集A 1章~2章	○	平日30分受講	×
2/6 ~ 2/12	問題集A 3章~4章	○	平日30分受講	○
2/13 ~ 2/19	問題集A 5章~6章	×	平日30分受講	○
2/20 ~ 2/26	問題集A 5章~6章	○	平日30分受講	×
	結果	3勝1敗	結果	2勝2敗
2/27 ~ 3/5	問題集A ~終章	○	土日で1時間受講	○
3/6 ~ 3/12				
3/13 ~ 3/19				
3/20 ~ 3/26				
	結果		結果	
3/27 ~ 4/2				
4/3 ~ 4/9				
4/10 ~ 4/16				
4/17 ~ 4/23				
4/24 ~ 4/30				
	結果		結果	
5/1 ~ 5/7				
5/8 ~ 5/14				
5/15 ~ 5/21	模擬試験の受験			
5/22 ~ 5/28				

「×」が続いたら行動のハードルを下げる

設計通りに勉強が進んでいるかを検証してみて、もし、×の数が目立つようならば、回数を減らすか、時間を短くするなどしてみましょう。

大事なことは、「自分にはできなかったんだ。もうダメだ」と、ネガティブ思考に陥って放り出してしまわないことです。

予定通りできなかったとき、「**そもそも見込みに無理があって、その時間を空けられなかった**」というパターンと、「**時間は確保したのに、勉強する気にならなかった**」というパターンがあるはずです。

前者であれば、ステップ3で説明した「Ｉ スケジュールの組み方」に立ち返り、より適切な勉強時間を探してみましょう。

後者であるなら、行動のハードルを下げてみましょう。たとえば、テキストだけでもテーブルの上に出すとか、イヤホンだけでもはめてみるということを3回続けてみてください。それだけでも十分な進歩と考えていいでしょう。

また、改めてライバル行動をチェックしましょう。

「勉強する気にならなかった」という場合、あなたが置かれた環境はどのようなものでしたか？

テレビのそばにいませんでしたか？

SNSをチェックしていませんでしたか？

読みかけの本はありませんでしたか？

もし、思い当たる節があるなら、次回から「それができない」工夫をしましょう。

どんどんアウトプット。効果を確かめる

勉強というのはインプット作業です。いったいどのくらいのインプットが終了したのかについて、時間を計測するだけでなく、内容を把握する必要があります。

そのために、**定期的なアウトプット**を行いましょう。

私は正しいランニング法を学び始めた頃、10キロマラソンなどの大会に最初からいくつか申し込みをしておきました。そこで、それまで学んだことをアウトプットし、「何を習得できているか」「足りないのはどういう部分か」を振り返りながら、次からさらに効率的な学びができるようにしていました。

あなたが資格試験やＴＯＥＩＣなどの勉強をしているのなら、定期的に模擬試験を受けてみましょう。

このとき、**最初から予定を組んでしまうのがコツ**です。

「実力がついてから」などと考えていると、インプットの度合いを正しくつかめません。模擬試験なのですから、どんな点数であろうと気にせず、予定に組み込んでいきましょう。

ビジネススキルについて学んでいるならば、上司にお願いして定期的にロールプレイングにつき合ってもらうのもいいでしょう。たとえば、プレゼンの様子を見てもらったり、顧客への商品説明についてチェックしてもらったりします。仕事の業績アップに役立つことなのですから協力してくれるはず。足りないところがあったら、どんどん指摘してもらいましょう。

こうした検証は、**あくまでそれまでの学習の効果を調べるもの**です。模擬試験でいい点数を取ることや、上司にほめられることが目的ではありません。背伸びをせずに、その時点のありのままを検証しましょう。

もちろん、趣味などについての学びも同様です。どんどんアウトプットしてください。ゴルフの打ちっぱなしにばかり行っていないで、グリーンに出ましょう。

「ゼロか100か」の思考を捨てる

「けっこう頑張ったぞ」という思いで模擬試験を受けたのに、期待外れの点数だった。ロールプレイングにつき合ってもらった上司の反応が、「まだまだだな」というものだった。こんなとき、がっかりするのは当たり前です。だからといって、深刻に考えてはいけません。

学びを続ける上で厳禁なのは、「ゼロか100か」の思考です。「これだけやって、これっぽっちしか効果が出ないのならもういいや」と投げ出してしまう人がいますが、もったいない話です。学びにおいて、「これっぽっち」は大いにけっこうなのです。

大事なのは「徐々に」です。「**いきなり大進歩**」**は習慣化には結びつかないけれど、**「**これっぽっち**」**の積み重ねは見事に習慣化**されます。「ゼロか100か」ではなく、「2でも、3でも、15でもOK」という発想で検証を進めていきましょう。

「続ける必要はない」とわかったときは

せっかく始めた勉強を放り出してしまうのは損とはいえ、途中でやめることを完全に否定するつもりはありません。

やめていいケースもたくさんあります。

ところが、**人はそれまで自分が投じた費用に引きずられ、さらに悪い選択をする傾向があります**。これを「サンクコスト効果」といいます。

IT関連資格を取得すべく、半年間頑張ってきたエンジニアが、

「この資格を取っても大して意味はない。今後の業務を考えるとDXの勉強をしたほうがよさそうだ」

と気づいたとしましょう。

合理的なのは資格試験の勉強をやめ、すぐにDXの勉強を始めることです。

しかし、「費やした半年間の元を取らねば」という意識が働き、「資格を取得するまでは続けよう」という結論に達しがちです。

もちろん、**「続ける必要はないとわかった」と「続けるのが嫌になった」は違います。**

それを混同しないためにも、絶えず検証を行っていきましょう。

第7章

9つのケースで学ぶ「学習習慣」の身につけ方

case 1

英会話教室をやめ、週100分の独学に切り替える

「英語」が出るたびに内心ドギマギ

大手損害保険会社に勤める40代のTさんは、大学卒業後、いくつかの地方支社で営業支援の仕事に従事し、最近になって念願の東京本社勤務となりました。子どもがまだ小学生のため、あまり転校させたくないと考え、ここ5年ほどは妻子を置いて単身赴任でした。しかし、本社勤務を機に、ようやく、結婚と同時にローンで買った自宅マンションで生活できることになりました。

少子化で人口減少が進む国内では、保険の需要増加がさほど見込めず、損保会社はどこも新興国を中心に海外マーケットの開拓を進めています。Tさんが本社で配属された商品企画部のミッションも、まさに新市場の開拓でした。

そのため、**海外支社とのやりとりが頻繁で、英語で電話がかかってきたり、会議の資料やメールも英文ということが多々あります。**

しかしながら、Tさんの英語力は、海外旅行に行ったときにレストランで料理の注文をするのに困らない程度のもの。顔には出さないようにしているものの、ドギマギしながら毎日を過ごしている状況です。

英会話教室は挫折

実は、本社勤務になってすぐ、Tさんは自宅近くの英会話教室に申し込みをしていました。長年の希望だった本社勤務で何としても成果を上げたいと考えたからです。

だからこそ、毎日の仕事にも手は抜きたくありませんでした。

上司から打ち合わせの声がかかると、「今日は英会話教室なんです」とはいえず、2カ月くらい通えなかった時期もありました。時差の都合もあって、夕方以降の時間帯に突発的な仕事が入ることも少なくありませんでした。

そうこうしているうちに、Tさんは英会話教室に通うのをあきらめ、解約してしまいました。

「このままではまずい。でも、どうやって勉強すればいいんだ」

Tさんは頭を抱えていました。

目標のハードルを下げて、スモールゴールも設定

私は、Tさんにはまず「目標設定」としっかり向き合ってもらいました。

「いったいどうなりたいのか」をとことん考えてほしかったからです。

Tさんは当初「英語を学ぶには英会話教室に通うしかない」と思い込んでいる様子でした。

しっかりと態勢を整えることにこだわっており、そのため「ちょっとでも効果があればいい」といった気楽な学びのスタートがなかなか切れないのです。

当初の目標設定も、「ネイティブ並みの英語力をつける」といった大きなものでした。

しかし、Tさんの仕事で求められる英会話力は、保険に関する内容を間違いなく理解し、相手に伝えられることです。その他のことについて流暢に語れる必要はありま

せん。

そこで、目標を下げて「保険関係の英語を完璧に理解でき、話せるようにする」と改めてもらいました。

期限は1年とし、1カ月ごとにスモールゴールを設定して進捗状態を検証することにしました。

通勤の10分+10分を使ったゆるい学習計画

次に、スケジュールの検討に入ってもらいました。

Tさんがこだわったのが「家族との時間は大事にしたい」ということでした。家に帰ってからのわずかな時間や休日は、久しぶりに一緒に暮らすことになった子どもたちと過ごしたいと考えているようでした。

Tさんが張り切って勉強しようとしている背景には、「家族により豊かな暮らしをさせたい」という思いがありました。なので、学ぶモチベーションを維持するためにも、家族との時間を勉強に割くのは得策ではありません。

となると、**「出勤から帰宅するまで」のどこかで時間をつくり出す**のがベストです。

自宅マンションから会社まで、JRと地下鉄を乗り継ぎますが、乗車時間は約15分ずつ。準備を差し引いて10分ずつの時間を徹底活用することとしました。

具体的には、混み合っているJRの車内では英会話の音声教材を聞きます。一般用の教材のため、日常生活のシーンが多くなりますが、「英語に耳を慣らす」ことに主眼を置くことにしました。すぐに取り出せるスマホで聞くことも、学習を継続するためのポイントです。

そして、あまり混まない地下鉄では、保険関係の英単語を覚えるようにしました。会議で配られた英文資料などを見直し、知らなかった単語をピックアップしながら1日に最低3つの単語を覚えることを意識しました。

帰りの電車内で勉強するのはやめました。帰りは同僚と一緒になることが多く、実際には勉強に使えないことが多いと考えたからです。

無理に計算に入れると、できなかったときに挫折感が生まれてしまうので、「もし1人でいられるようなときには復習に回す」というゆるやかな計画にしました。

ハードルを上げるよりご褒美を優先

最初は「そんなもので大丈夫なんですか?」と不安な様子のTさんでしたが、1カ月後の検証ですでに手応えを感じているようでした。

朝の通勤時間帯だけのことなので、Tさんはサボることなく勉強を続けることができ、気がついたときには想像以上に多くの英単語を自分のものにしていました。

このとき、Tさんは「1カ月できたのだから、もっと厳しいスケジュールを組んでもいいのではないでしょうか」と提案してきました。

これは、勉強を始めたばかりの人が陥る罠で、ここでいきなりハードルを上げると挫折します。それよりも、ちゃんと続いたことに対してのご褒美を優先したほうがいいとアドバイスをしました。

Tさんの趣味が「食べ歩き」ということなので、ご褒美には家族との外食を取り入れました。**1カ月勉強が続いたら、月末に家族と少し贅沢な食事を楽しんでもらうようにしたのです。**

「今月は何を食べに行こうか」と相談するのは、Tさんにとっても家族にとっても楽しい時間であり、おかげで「パパ、今日も電車の中で勉強を頑張って」と応援してもらえるというおまけがついたと話してくれました。

Tさんがこの方法で勉強を始めて、まもなく半年近くになろうとしています。

半年経ってもまったく挫折する気配がないため、ランチタイムなどを活用してもう少し勉強時間を増やしてもらおうかと考えているところです。

case 2

「無駄」の発見で平日に週7時間の学習時間を確保

●転職して直面した課題

現在、36歳の男性Yさんは大学卒業後に広告代理店に入社、そこで大手企業のマーケティングキャンペーンをいくつか成功させた実績を買われて、今のＷｅｂベンチャー企業に転職しました。

ヘッドハンティングされた当時は、飲食店検索サービスのＷｅｂマーケティングチームを取り仕切る立場だったのですが、そこでの仕事ぶりが社長の目にとまり、重要な仕事をどんどん任されるようになっていきました。会社が準備している新規事業の立ち上げプロジェクトの一員に選ばれ、しかも最近はスマホアプリのマーケティングでも陣頭指揮を執ることになりました。

仕事熱心なYさんは、転職して環境が変わっても実績を残すことができて「とにかくホッとした」と語る一方、ベンチャー企業のマネジャーならではといえる課題に直面して頭を悩ませていました。

●「インプットの時間がまったく取れない」

その課題とは、**兼務が増えすぎて時間のやりくりができなくなったこと**。

主業務である検索サービスのＷｅｂマーケティングだけでも、複数ある広告メニューのアクセス解析や効果測定、それらの日次レポートづくり、広告キャンペーンで使う各種クリエイティブのチェックなど、やらなければならない仕事がたくさんあります。

それらに加えて、代理店とのやりとりや新規事業プロジェクトのミーティング、勝手の違うスマホアプリのマーケティング戦略立案と、ほぼ四半期ごとに新たな仕事が降ってくるような状態です。

社長に「チームメンバーをもっと増やしてほしい」とお願いしてはいるものの、仕事量の増大に追いつかず、いよいよ立ち行かなくなり始めていました。

メンバーや他部署からの相談事も不定期で入ってくるため、毎週のカレンダーは常に予定でびっしり。そんな中で新たに出てきた課題が、**続々と登場する新しいマーケティング手法についていけなくなり始めた**ことです。

前職の広告代理店に勤めていた頃は、目新しくて費用対効果の大きい広告企画を考えるのが得意だったというYさん。しかし、文字通り忙殺されている中で、「面白そうな取り組みをしている企業の事例をもっとインプットしなければならないと思っているが、それすらできない」と焦りを感じるようになっていました。

業務量の書き出しで「無駄」を発見する

「とにかく企画を考えるためのインプットを増やしたい」と私のところに相談に来たYさんの仕事ぶりを聞いて、最初にアドバイスしたのは、「**インプットを増やす前に、仕事を整理しましょう**」ということでした。

第5章で説明した「行動設計」で、最初にやるべきなのは過去のスケジュールの洗い出しだと述べました。Yさんの場合、兼務量が増えすぎて気持ちの面で一杯いっぱいになっていると感じたため、いったん冷静になって業務量を計測してもらうことにしたのです。

Yさんは当初、「突発的に入る仕事や相談事が多く、計測なんてできない」といっていましたが、直近1カ月間にやったことを15分刻みですべて書き出してもらったところ、大きく2つの無駄があるとわかりました。

まず見つかった無駄は、会議の時間です。

新規事業チームや代理店数社との定例ミーティング、社長への進捗報告会など、カレンダーには1時間の予定として入っているのに、実際のところ15~30分で終わっているケースが多々ありました。

そこで私は、「過去、必ず1時間かかっているものを除き、すべての会議を30分以内にしてください」とお願いしました。

Yさんは毎週だいたい10~15回のミーティングをしていたので、これらの時間を半分にするだけで、週5時間以上を確保できます。

●平日だけで合計7時間のインプット時間を確保

次に見つかった無駄は、4人いるマーケティングチームのメンバーと毎週個別に行っていた業務相談です。

若いメンバーが多いこともあり、毎日夕方に約30分、日頃の悩みを聞く時間を取っていましたが、これも実際はその時々の業務報告に終始していました。

そこで、「これをいったん廃止する代わりに、全員で毎朝10分の朝会をやってみてください」とアドバイスしました。

この提案をした当初、Yさんは「マネジメントが適当になってしまうのが怖い」と不安をのぞかせていました。

しかし、いざ朝会をやるようにしてみたら、メンバーの仕事の進捗はもちろん、「彼は何かに悩んでいるな」「彼女はちょっとやる気が落ちているな」といった変化にも気づくようになったそうです。

気になることがあったとき、Yさんからメンバーに「何かあった?」と話しかければ、マネジャーとしての役割も十分果たせる。そう実感したことで、業務相談はやめることにして、これにあてていた毎週の計2時間を「自分の時間」として使うことにしました。

これで、平日だけでも計7時間はインプットを増やすことに使えるようになったわけです。

「新しい企画を生むために週7時間、最新のマーケティング事例を学ぶ」という目的ができました。

●数値化できる行動に落とし込んで目標設定

その後は、「MORS（モアーズ）の法則」に従って、数値化できる行動に落とし込んだ目標設定をするだけでした。

M＝Measurable（計測できる）
O＝Observable（観察できる）

R＝Reliable（信頼できる）

S＝Specific（明確化されている）

Yさんは、資格取得のようなわかりやすいゴールを目標にしていません。なので、マーケティングの基礎と最新事例をインプットし続け、企画を考えるための引き出しを増やすのを念頭に、目標を設定してもらいました。結果、

・業務相談にあてていた30分を使い毎日、海外企業のマーケティング事例を調べる

・調べた結果は、週2回以上、朝会でメンバーと共有する

・毎月最低1冊は、フィリップ・コトラーのようなマーケティング理論の専門家が書いた本を読む

……など、**複数のスモールゴールを設定**することになったのです。

これらの目標を立ててから約半年。今は、インプットした知識を基に、大きなマーケティングキャンペーンの企画を実施する準備を進めているそうです。勉強の成果がどんな形で世に出るのか、私も楽しみにしているところです。

case 3

家族に宣言。将来に役立つ資格試験に10カ月で合格

見て見ぬふりをしてきた「自分の将来」

Rさんは大学卒業後、新卒で今の会社に入社しました。現在アラフォーの女性です。最初に配属された営業の仕事が嫌で転職を考えたこともあったそうですが、人事異動で移った総務部の仕事が性に合い、また後輩の面倒見もいいことから上司に気に入られ、5年弱、同じ部署ですごしていました。

実家から通っているので、給料は旅行に買い物にと、お気楽に使ってきたRさん。**将来について真剣に考え始めたのは、仲良くしていた同僚女性の転勤がきっかけでした。**

その同僚女性は、関西支社で責任ある地位に就くことになりました。送別会を兼ね

て2人で食事をし、昇進を祝福したRさんに同僚女性はこう語りました。

「でもさ、ちょっと偉くなってもどうなると思う？　定年間近の先輩たちを見ていると、最後は会社には頼れないなって感じるのよ」

その言葉は、Rさんの心に響きました。Rさんはそれまで、「昇進なんて興味がないし、長く働ければそれでいい」と本質から逃げてきました。

でも、同僚との本音の会話をきっかけに、「いつかは上司も代わる」「ただの面倒見のいい先輩のままじゃ将来が危ない」「長く働くにも相応のスキルがいる」「結局、会社に頼っていたらダメだ」という現実から目を背けることができなくなったのです。

両親に宣言。勉強のサポーターになってもらう

そこでRさんは、総務の仕事に役立ちそうな資格として、**社会保険労務士の資格取得に挑戦**することに決めました。

期限は2年以内としました。ただ、心の中では「何とか1年で合格」という思いが強くあったようです。それゆえ目標設定はすんなりできたのですが、スケジュールに

ついて考える際に、極端なことを言い出しました。

これまで親に甘えて生きてきた自分を反省したのか、「一人暮らしを始めて、自分を追い込んで勉強しようと思っています」と主張したのです。

しかし、客観的に考えて、**勉強に集中したいなら家族の助けがあったほうが有利**です。自分一人で頑張って、もし続かなかった場合、Rさんのようなタイプは挫折感を味わって「どうせ何をやってもダメだ」と自己評価を下げてしまいがちです。

そこで私は、「資格スクールに通うならお金もかかるし、実家を離れるのは資格を取ってからにしましょう」と提案しました。さらに、「勉強を続けるために、これまで以上に親に甘えてください」ともお願いしました。

両親はこれまでも、Rさんが同居をしていることを喜んでおり、迷惑などと感じている様子はありません。事情を話し、食事などの生活面をこれまで以上にバックアップしてもらうようにすすめました。

Rさんは不規則な仕事によって予定が左右される平日には勉強せず、土日に集中したいと考えました。

そこで、土日には食事もつくらず、掃除もせず、すべての家事を引き受けずに勉強させてほしいと両親に申し出ました。

すると、父親からは「2年まで」という期限が設けられ、母親からは「合格したらハワイに連れて行って」という条件が与えられた上で、快諾が得られました。

勉強時間を絞ることで集中度を増す

そんな両親への感謝の気持ちもあり、最初、Rさんは少し飛ばしすぎたようです。土曜は朝から資格スクールに通い、日曜も10時間以上、自室にこもって勉強したそうです。

案の定、すぐに反動が来て、1カ月もすると勉強が嫌でたまらない状況に陥りました。イライラして、せっかく夜食を用意してくれた母親に「余計なことしないで」などと当たり散らすこともあったそうです。

そこで、私は改めて彼女の学習スケジュールを見直し、少し変更を加えてもらいました。土曜のスクールが終わった後は、必ずカフェや図書館に移動してから勉強を続けるようにして、息抜きの要素を加えてもらいました。

そして、日曜の勉強は5時間くらいで切り上げ、夕方以降は別のことをするようにアドバイスしました。

「勉強は土日だけだし、長時間やらないと不安です」と訴えていたRさんですが、時間を絞ることで結果的に集中度合いが高まったようです。

こうして、実際に勉強を進めていく中で、Rさんは**「頑張りすぎはかえってマイナスになる」ということを理解してくれました。**

「成し遂げた」ことでの自己肯定感

ご褒美も、当初は「合格したときのハワイ旅行を贅沢なものにすれば、それで十分」といっていましたが、スモールゴールに合わせて工夫するようになりました。

Rさんは几帳面な性格で、**月曜日の朝には勉強の進捗度合いをチェック**していました。予定通りに進まなかったときには（滅多になかったですが）、次の土日は10時間ずつのハードな勉強を課す代わりに、順調に進んだときには翌週のいずれかの日の会社帰りに自分にご褒美をあげることにしたのです。

ご褒美は映画を観ることだったり、服を買うことだったり、プールで泳ぐことだったり、さまざまでした。以前だったら特にありがたみも感じずにやっていたことが、**「今週もしっかり勉強できたから、どんなご褒美を自分にあげようか」**と考えること**で、その価値が数倍にも感じられるようになった**ということでした。

冠婚葬祭などの行事が入っているとき以外、Rさんは土日の勉強を続け、10カ月後、見事に社会保険労務士の資格を取得しました。最近は、両親を連れて行くと約束していたハワイ旅行の計画を楽しそうに立てています。

取得した資格をどう仕事に生かすかが今後の課題でしょう。

資格は取得するだけでは意味がありません。人事評価面談などの際に、資格で得た知識を有効活用できる新しい業務を与えてもらえるよう、アピールを重ねることが大切です。

ただ、Rさんは「自分の人生は変わった」と強く感じているそうで、この**「何かやれそう」という気持ちが、今回の勉強で得た一番の成果**かもしれません。

case 4

手に入れたのは、人生を豊かにする「本当の趣味」

●転職先でのカルチャーショック

56歳のMさんは、これまで仕事一筋できたいわゆる「古いタイプ」の男性でした。大学卒業後に新卒で入社した電機メーカーで経理部に配属、それからずっと経理畑を歩んできました。かつての先輩たちのように、いずれ部長となり、できれば役員を狙う人生を歩んでいくのだと疑ったことはありませんでした。

ところが、40歳になる頃には仕事はすっかりIT化され、アウトソーシングされる部分も増えていきます。経理部は縮小の一途をたどり、Mさんは部下たちの多くを他の部署へ異動させねばなりませんでした。

「いずれ自分の居場所もなくなるのかも……」。こう感じたMさんは、50歳を目前に知人が経営している小さな会計事務所に転職することになりました。目先の給料は減りますが、いつ肩叩きに遭うか恐れて過ごすのは得策ではないと思ったからです。

転職してみて驚いたのは、電機メーカー時代とは同僚たちの気質がまったく異なることでした。みんな仕事はきちんとするものの、それ以上にプライベートをとても大事にしているのです。特に、**職場の外に趣味の世界を持っていることがとても新鮮に**見えました。

「仕事に関係なく夢中になれるものが欲しい」

Mさんはそれまで、「趣味は何ですか?」と聞かれれば「ゴルフです」と答えていました。確かに、ゴルフは大好きで腕もよかったのですが、グリーンに出るのはたいてい仕事がらみでした。

ところが、新しい職場にはそうした習慣がなく、ゴルフをやる人であっても個人的な友人と楽しんでいます。そのため、Mさんは転職後はグリーンに出る機会もなくなり、土日を持て余すようになりました。

と同時に、**「自分も何か、仕事に関係なく夢中になれる趣味を持ちたい」**と真剣に考え始めたのです。ただ、「今からでは何もできないのではないか」「どうやって新しいことを身につけたらいいか」と迷っているところでした。

やってみたいことを4つ書き出す

共通の友人を通してMさんに会った私は、「趣味を探しているのなら、僕たちと一緒にマラソンをやりませんか?」と誘ってみました。私自身の経験からして、マラソンはいくつになってもゼロから始められます。しかし、「今さらそんなこと」とMさんは及び腰でした。

趣味というものに対し、Mさんは大仰に考えすぎているようです。仕事がらみのゴルフとは違うのですから、**もっと自由に考えていい**のです。

前述したように、「趣味は4つ持て」が私の持論。それを説明するために、私はMさんの目の前で紙を広げ、マトリックスを描きました。

図 7−1　趣味は4つに分けて考える（Mさんの場合）

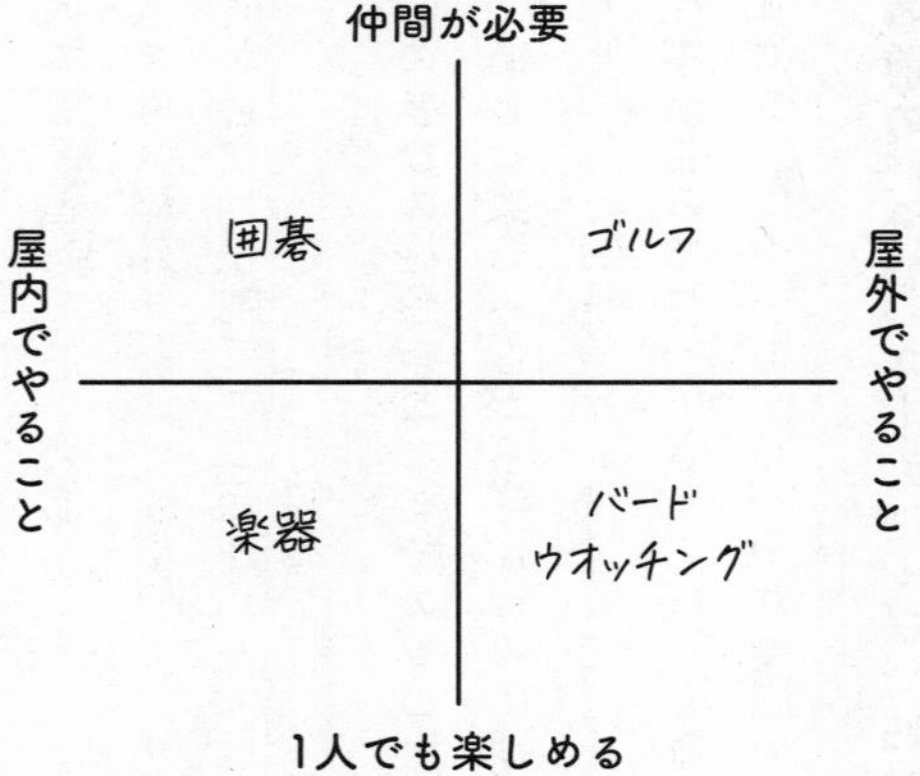

最初にMさんが埋めたのは「仲間が必要×屋外で」の枠で、「ゴルフ」と書きました。しかし、Mさんはすでにゴルフの技術はあるので学ぶまでもありません。ゴルフに関して大事なのは、むしろ仲間づくりであることを確認しました。

さて、残りの3つの枠がなかなか埋まりません。どうもMさんは、「自分にできること」を探っているようです。

そこで私は、「やってみたいこと」に徹して考えてもらいました。**これから学ぶのですから、「今はできないけれどやってみたいこと」でいいのです。**

すると、しばらく考えてMさんは残り3つを埋めてくれました。

「1人でも×屋内で」↓楽器
「1人でも×屋外で」↓バードウォッチング
「仲間が必要×屋内で」↓囲碁

趣味の学びの場合、ここまでのプロセスがもっとも重要。目標設定さえ間違えなければ、あとは楽しみながら学ぶのみです。

逆にいうと、目標設定を間違えてしまう人は、趣味もなかなか身につきません。何でも仕事がらみでやってきた人は、それが本当に自分の人生を豊かにしてくれる趣味となり得るかについて、しっかり見極めていきましょう。

寝る前の15分間、ユーチューブで独学

Mさんは、囲碁に関しては少し素養があるようです。それでも、仲間づくりを兼ね

て夜間にやっている囲碁教室に通うことにしてもらいました。無理のないように、2週間に1回のコースを受講するとのことでした。

バードウオッチングは、これまでまったく経験はありません。そのため、まずは週末に何回か、レンタルの双眼鏡を持って出かけてみてもらうことにしました。まだ、どこまで興味が持てるかわからないようなので、**本格的な道具をそろえるのは「はまって」からにする**こととしました。

もし、「つまらない」と感じたら、無理することはありません。「1人でも×屋外で」の枠を再考すればいいだけです。

Mさんが、もっとも興味を抱いていそうで、かつもっとも自信がなさそうなのが楽器でした。最近はやっている「街角ピアノ」に憧れていて、自分もいつか弾けたらどんなにいいだろうと夢見たことがあるようです。

また、学生時代の友人をピアノが置いてあるバーに誘い、そこで突然弾いて驚かせてみたいという動機も披露してくれました。

マンション暮らしで大きなピアノは置けないし、あまりお金もかけられないということで、中古の電子ピアノを購入。

あとは、ユーチューブを参考に独学することになりました。時間は、毎日、寝る前の15分間と決め、それを守ってもらいました。

もちろん、音楽教室に入る手もありますが、ひどく気後れしてしまいそうだというのでやめてもらいました。**楽しく続けることができなければ意味がない**からです。

大人の学習ですから、バイエルから学ぶ必要もありません。弾いてみたい曲を1つ決めてもらい、それを徹底して学ぶことから始めました。

当然、最初から通しで弾くことなどできないので、数小節ずつに分け、何度も何度も繰り返し覚えていくやり方をとりました。何とか通して弾けるようになったのは約2カ月後ですが、Mさんの喜びようは大変なものでした。

本当の趣味を見つけたMさんの人生は、さらに豊かに広がっていくでしょう。

case 5

社外勉強会での学びを部下にフィードバック

「真面目な仕事ぶり」だけでは通用しない

Sさんは大学で情報通信系の学科に在籍した後、ITの知識を生かした仕事がしたいと大手のシステムインテグレーターに就職した男性です。この会社は、ある老舗電機メーカーの情報システム部門が独立してできた会社で、いまだに年功序列色が残っているような職場環境だそうです。

20代のうちは希望通り、エンジニアとしてさまざまなシステム開発案件で活躍してきたSさんですが、32歳を迎えた3年前、大きな転機を迎えます。

この会社には、一定の社歴になるとほとんどの人がマネジャーに昇進する制度があり、Sさんも「給与が上がるなら」とよく考えずに部下を持つ立場になりました。

同僚の何人かは、特定の技術領域でスペシャリストとして仕事を続ける働き方を選んだそうですが、「自分も開発は好きだけれど、一生現場で活躍するほどの自信もない」と考え、**昇進を機にマネジメントの勉強を始めることにしました。**

最初はプロジェクトマネジメントの本を数冊買い、時間のあるときに読み進める形で勉強していたものの、顧客対応に加えてメンバーの労務管理を任されるようになった途端に業務量が急増。開発したシステムの納期が迫ってくると、自分の時間がほとんど取れない毎日が続きました。

それでも、日々起こる諸問題に真摯に対応しながら仕事をこなしていましたが、開発現場を離れて2年が経った頃、いよいよ「真面目な仕事ぶり」だけでは通用しなくなったのです。

足りないマネジメントスキル。気がつけば技術も古いものに

そもそも、ベテランのプロジェクトマネジャーに比べたら、圧倒的にマネジメントスキルが足りない。

ならば、エンジニア経験を生かして技術開発面でリーダーシップを取ろうと現場に入り込んでも、部下から「プロジェクト運営に集中してください」といわれて邪魔者扱いされるようになりました。

IT業界は身につけた技術や知識が2、3年で陳腐化してしまうほど変化が速い業界です。「自分の古い知識では細かな部分で機能不全になってしまう」と感じるくらいに世界がさま変わりしていたのです。

1カ月に一度、社外の勉強会に参加する

マネジメントと最新技術。どちらにも軸足を置けずに悩んでいたSさんに相談された私は、「頑張って勉強しようとしても続かないから、強制的に行動を変えるしかない」とアドバイスしました。

その際、「よきマネジャーになる」といった曖昧な目標ではなく、数値で測定できるゴールを設定すること、スモールゴールを達成するたびに「ポジティブ（P）で、即時（S）で、確か（T）などご褒美が得られるようにする」などの助言をしたのです。

結果、Sさんは「社外の技術勉強会に参加する」というプランを思いつきました。大学時代の同級生で、同じIT業界で働いている友人が、クラウド関連の最新技術や他社の活用事例を学び合うコミュニティに所属していたので、自分もそこに参加するというのです。そのコミュニティは、1カ月に一度程度のペースで勉強会を開催していました。開催時間は平日の夜。

折しもSさんの勤め先は残業時間の是正に全社を挙げて取り組んでおり、「お客さんやプロジェクトメンバーに**前もって『この日は勉強会に行く』と公言しておけば、ほぼ毎回参加できる**」と考えたようです。

また、肝心なご褒美については、気のおけない旧友と定期的に会い、勉強会の帰りに軽く飲みながら仕事の相談や技術談義をするのが最高の息抜きになるということで、1年はその勉強会に参加し続けるのを目標にしてもらいました。

土曜日を「自分の宿題」の日に設定

「1カ月に一度、勉強会に参加するだけでは大して身にならないのでは」と思った方もいるかもしれません。

でも、Sさんは**自分なりに工夫して勉強会に臨んでいました。**

このような勉強会では、毎回「当日のゲスト登壇者」と「発表するテーマ」が事前に知らされます。それを毎月の〝お題〟にして、登壇者の会社の技術ニュースを調べ、テーマに関する事前勉強をするのを毎週土曜日の宿題にしたのです。

休日を使うことにしたのは、業界誌や関連書籍を読んだほうがいいときには、書店に買いに行けるようにしようと考えたためです。これなら、インターネットでは調べられないことも情報収集できます。

また、「**土曜日は必ず本を読む**」と決めておけば、仕事のせいで時間がなくなるということがなくなります。

こうして最低限の予習をしておくと、勉強会に参加して登壇者の講演を聞いた後に突っ込んだ質問ができ、名刺交換などの短い時間でも有益な情報が得られるとSさんは話していました。

学習成果を定期的にメンバーにフィードバック

さらなるダメ押しは、勉強会の前後に学んだ知識や他社の開発事例について、プロジェクトメンバーにフィードバックする「社内勉強会」も習慣化させたことです。簡単なレジュメをつくり、定例ミーティングの中の30分を使って自らの学習成果を伝えていく。「いい加減なことはいえない」というプレッシャーもあって、**このアウトプットの場はSさん自身が知識を深めるよい機会になった**そうです。

こうして1年間、スモールゴールをクリアし続けた今、Sさんは「以前よりもプロジェクトメンバーに信頼されるようになった」と語ります。

結果的に「最新技術に明るいマネジャー」というブランディングができたため、メンバーも安心してついていけると感じたのではないでしょうか。

今後、より大きなプロジェクトを担当する際には、本格的にマネジメントの勉強をしなければならない時期が来るでしょう。それでも、チームを率いるための軸を身につけることのできたSさんなら、自信を持って新しい軸も会得できるはずです。

case 6

参考書は処分。スマホ活用でマイペース学習

昇進も資格取得も同期に置いてきぼり

Kさんは大学卒業後、先輩の誘いを受けて大手の不動産会社に就職しました。現在、31歳の男性です。

Kさんは、大学時代はあまり勉強熱心ではなかったそうです。その分、体育会のサッカー部に所属し、夢中でボールを追いかける日々を過ごしました。おかげで先輩からかわいがられ、就職先も難なく決まったのです。

しかし、社会人になってみると、**「自分は使えない」と感じるようになった**といいます。営業部に配属されたものの、最初の2〜3年は目標数字をクリアするので四苦八苦。何とか目標数字は達成できるようになった後も、大した営業実績を残すことが

できず、同期入社した仲間たちが次々と昇進する中で置いてきぼりの状態でした。

また、同期の多くが取得している宅地建物取引士（宅建）の資格を持っていないことも、大きな引け目になっていました。

そういう状況で30歳の誕生日を迎えたKさんは、一念発起、宅建の資格取得の勉強を始めようと決心しました。

最初は資格スクールに通おうと考えましたが、**顧客の都合次第で土日でも仕事が入ってしまうようなワークスタイル**のために、どうやっても無理。「ならば独学で」と参考書をそろえたものの、ほとんど開くことがないまま1年近くが経ってしまいました。

そこで、どうしたものかと、私が登壇したとあるセミナーに参加し、相談に来たのです。

1カ月やってみて、その後に「期限」を設定

Kさんの勉強のゴールは明確。「宅建取得」です。しかし、期限は迷うところでした。

というのも、実際にどのくらいのペースで勉強できるのか、まったく読めなかった

からです。

Kさんの仕事はかなり不規則で、勉強のための時間を定期的に確保するのは非常に難しい。また、Kさんは「仲間がいると頑張れるが、1人になるとついついだらけてしまう」と自己分析していました。

もしかしたら、大学の体育会でチームスポーツをしていたことが影響しているのかもしれません。とはいえ、独身で一人暮らしのKさんに、家族の応援もあまり期待できませんでした。こうした状況も鑑みて、**「とりあえず1カ月やってみて、その段階で改めて期限を決めよう」**ということになりました。

最初にやってもらったのは、Kさんが買いそろえた参考書を、どこに行くにも必ず持ち歩いてもらうこと。そして、3分でも時間ができたら1ページでいいから読み進めるようにお願いしました。

スマホアプリならマイペースで勉強できる

ところが、2週間経っても、参考書が開かれたのは3回だけでした。理由を聞くと、

「5分くらいの空き時間はたびたびできるのだけれど、お客さんを待っていたりするケースが多く、参考書を読んでいるわけにはいかない」とのこと。

そこで、参考書は自宅での学習が可能なときに見てもらうことにして、スマホを使った勉強法に変えました。スマホアプリを用い、過去問題などを解く学習を進めてもらったのです。スマホなら、顧客を待っている時間にいじっていても不自然ではありません。もちろん、**通勤の電車内でもランチタイムでも勉強可能**です。

Kさんには、「いつ、どこでやるのでもかまわないから、アプリの過去問題を1日3問解いてみましょう」と提案。2問しかできなかった日は、残りの1問は寝る前に必ずやると約束してもらいました。

正直、ちょっと厳しい注文だったかなと思っていたのですが、元来、スポーツマンでガッツのあるKさんは、それをきっちり守ってくれました。

●開かない参考書は思い切って処分

こうして1カ月が経った段階で改めて面談すると、アプリを用いた勉強法はかなり進んでいました。ただ、相変わらず参考書が開かれた様子はありません。「家で勉強する時間が取れることもたまにあるけれど、疲れがどっと出てしまい、どうしても参考書に手が伸びない」というのです。

そこで、**思い切って参考書は捨ててもらいました。**「参考書ではなくスマホだったら疲れていてもいじる気になる」とKさんが話したからです。

実際に、参考書を捨ててからのほうが、家にいる時間を勉強にあてる割合が高くなったと報告してくれました。

この段階で、おおよその勉強習慣がついてきたと考えられたので、Kさんと相談して、宅建の取得期限を2年以内と決めました。私は1年で大丈夫だと踏んだのですが、Kさんは「無理をしなかったからこそ、ここまで順調に続けられたのです。これからもゆるくやっていきます」と、より慎重な態度を取りました。

継続のコツは「落ち込まない」方法で学ぶこと

Kさんを見ていて、上手にツールを活用すれば、どんなに時間がない人でもかなりレベルの高い学びが可能になると実感しました。特に、**これまで勉強の習慣がなかった人にとっては、分厚い参考書はかえってプレッシャーになる**だけかもしれません。

Kさん自身、「ほとんど読んでいない参考書を見ると、ダメな自分を責めてしまい、落ち込む」と嘆いていました。それならば、普段手にしているスマホを使って軽い気持ちで勉強を続けたほうが、ずっと合理的だといえるでしょう。

宅建の勉強は現在進行形で続いており、まだ合格という結果は得ていません。実際にスマホ「だけ」で勉強を続けることで宅建の資格を取得できるのかは、もう少し様子を見る必要があります。

とはいえ、**勉強の習慣をつけるという意味では、もう成功した**と考えていいでしょう。後は2年以内に結果が出ることを祈りつつ、Kさんの「実験」を応援していきたいと思います。

case 7

読書習慣を自分のものにする

お客さまに以前のやり方が通用しない

35歳の女性Oさんの勤めているアパレル会社は、レディースファッションを中心に、比較的高価な衣類を製造し、主にデパートや商業ビルで販売しています。デザイン部門や製造部門、管理部門の所属ではない従業員は、たいてい販売の現場で働いています。Oさんもその1人です。

Oさんはこれまで、関西地方の大手デパートに出店している店舗で長く店長を務めていました。ところが、人事異動で、東京のターミナルビルに新規出店する店を任されることになりました。

子どもがまだ小さいこと、そして夫がフリーランスライターをしていることもあり、家族会員で東京に引っ越して始まった新生活。Oさんは張り切っていました。服飾品を扱う仕事柄、Oさん自身、流行の最先端を知っている自負があり、普段から海外のファッショントレンドなどについて勉強もしています。だから、新天地での仕事にも自信がありました。

ところが、いざ東京で接客をしてみると、なかなか売り上げを伸ばせません。主たるお客さまは、以前と同じアラフィフの女性です。だから、販売手法も大きく変わるわけではないのに、**深くコミュニケーションできない**のです。

店長であるOさんが手本を示せないとなると、フロアスタッフの信頼も失いかねません。その原因についてOさんは、東京の客層の多様性を感じていました。

彼女たちは一人ひとり違った好みを持っているのに、それに見合ったセールストークができていないという自覚がありました。

「服飾に関して私はプロ。ファッショントレンドの勉強はこれからも続けなくてはならない。でも、それだけでは足りない。いったい何が足りないんだろう」

ずいぶん悩みましたが、確たる答えは出ていません。おそらく、いろいろなことを広く知っておく必要があるのだろう。そう仮説を立て、何でも吸収しようと勉強を始めました。

何を学ぶかより、学びの継続を第一に考える

Oさんの場合、最初はあえて具体的な目標設定をしませんでした。無理に目標や期限を決めるよりも、学ぶという行動そのものの継続を優先してもらったのです。

Oさんはまず、「どんな人たちが何を学んでいるのか」をインターネットで情報収集することから始めました。学んでいる人が圧倒的に多いのが、語学やプログラミングです。しかし、自分の仕事にそれらが必要だとはあまり感じられません。そこでいきなり行き詰まってしまいました。

何かを学びたいのに、何から手をつけていいかわからない自分に混乱してしまったようでした。そこで私は、「これだ」というものが見つかるまでは、本をたくさん読むことをすすめました。

これまでOさんは、アパレル業界の専門誌以外はあまり読む習慣がなかったため

に、どんな本を読んだらいいのかについても質問してきました。

そこで、私は次のようにアドバイスしました。

「読書が習慣になるまでは、ベストセラーから目を通してみたらどうでしょう」

それによってお客さまとの話のきっかけがつかめればいいと考えたからです。

この段階で初めて、「書店で平積みされていて、週間ベストセラーランキングに入っているような売れ筋のビジネス書を、週に1冊必ず読む」と目標設定ができました。

●「目に見えない」けれど、確実な効果が生まれた

本を読む習慣が身についてくると、次々と読みたくなります。最初はなかなか読み進められなかったOさんも、2カ月が経過したあたりから「週に2冊は読めますね」というようになりました。

以前は、子どもを寝かしつけた後で「さあ、本を読まねば」と気合を入れていたのが、だんだん「もっと読みたい」に変わり、**通勤時間やランチタイムにも、本が手放せなくなっていったそうです。**

すでに1年以上が経っていますが、Oさんの読書は継続されています。最近ではビジネス書以外に、小説や趣味の本も加え、幅広く読むようになりました。小説は子どもとの散歩がてらに図書館で借りるのですが、図書館に行くことで「こんな本もあるのか」と知り、世界が広がったようです。

面白いことに、それにつれてお客さまとのコミュニケーションもうまく取れるようになったといいます。特に、読書の話をするわけではありませんが、人間的な幅ができ、自信につながっている結果でしょう。

Oさんはまだ「自分が学ぶべきはこれだ」というものに出合えてはいませんが、それでもいいと感じているようです。

私も、それでいいと思います。なぜなら、お店の売り上げが伸びているからです。実績が出ているのですから、少なくとも読書による学びは続ける価値があるということに違いありません。

case 8

「学ぶ技術」で子どもが自主的に勉強を始めた

「勉強嫌い」の小学生の娘が悩みのタネ

今は父親の跡を継ぎ、地方都市にある小さな金属加工会社を経営している50代のHさんですが、そもそもそうした状況自体が想定外のことでした。

大学は東京の私大の文系で、卒業後に勤めた会社はアパレル系。そこで部下を持つようになって仕事の面白さがわかってきた28歳のとき、父親が倒れました。命は助かったものの、Hさんは後継者としてすぐに戻ってくることを望まれたのです。

父親の会社には最初は一般社員として入社しましたが、いずれ社長になることは織り込み済みです。

年上の熟練工たちから、どう評価されているのかが気になって胃が痛くなる日が続きました。それでも必死に頑張って、父親が亡くなった後は周囲からも祝福される形で社長に就任しました。

そのようにがむしゃらに過ごしていたため自分のことは後回しで、結婚は40歳を過ぎてからと晩婚。結婚後すぐにできた一人娘を、Hさんは溺愛してきました。

ただ、娘が小学生になると、教育についての心配事が増えてきました。どうも、**娘は勉強が好きではないようで、学校で出された宿題も自発的にはやらないし**、漢字や計算といった基本的な学力についてもほかの子よりも少し劣っているようなのです。

周囲には、中学受験に向けて特別な学習塾に通っている子どももいます。

Hさん自身もいわゆるガリ勉ではなかったし、口うるさくいいたくないのですが、置いていかれてつらい思いをするのは娘です。とはいえ、具体的にどう勉強させていいのかわからず、学習塾も経営している私に相談が持ちかけられました。

子どもの学習にも行動科学マネジメント

Hさんが子どもの頃と今では、子どもたちを取り巻く環境は激変しています。それがいいか悪いかは別にして、漫然と学校の授業を受けているだけでは落ちこぼれてしまいます。中学受験をするようなケースはもちろん、そうでなくとも塾に通わせ、親も必死になっているのが現状です。

塾の経営を通していえることですが、**もともと頭がいい子などほとんどいません。**

頭がいいと評されている子どもは、自発的に勉強するという望ましい行動を繰り返しているうちに学力がついて成績が上がり、そうしたいい結果を手にした子どもはますます望ましい行動を繰り返すから、なおさらできる子に育っていくという好循環が生まれるのです。

まずHさんには、**「勉強しなさい」という指示には意味がない**ことを理解してもらいました。それは、上司が部下に「頑張って結果を出しなさい」といっている以上に具体性に欠け、子どもの自発的な行動には結びつきません。

では、どうしたらいいのか。

細かい部分については、大人の学びと一緒です。つまり、スケジュールの組み方、環境づくり、スモールゴール、ご褒美（リインフォース）……など行動科学マネジメントのメソッドが大いに役立つのです。

机の整頓法は具体的に教える

たとえば、学習スケジュールについては**「毎日続けられる」を前提**に組んでもらいました。ある一定の期間だけ頑張っておしまいではなく、それをずっと続けられるような無理のないスケジュールにしました。

その代わり、例外日はつくらず、夏休みなどもいつもと同じようなスケジュールをこなすことを基本としました。

環境で、最初に気を配ってもらったのが机です。勉強ができる子の机はどれもきれいに整頓されています。逆に、できない子どもはまず「勉強するための机の片づけ」から始めるために、スタートからして後れを取ります。

とはいえ、「片づけなさい」というだけでは根性論と同じ。**机のどこに何を置いたらいいかをイラストにして貼る**など、子どもが理想の机に整えられる方法を具体的に示してもらいました。

1日の最後は「ほめて終える」

さらに、子どもが勉強しているときは、親もスマホをいじらずテレビも観ないで、隣で読書をしてもらうようにしました。もともとHさんの家ではリビング学習を取り入れていたので、この点はスムーズでした。

また、最初から大きな目標は立てさせず、「漢字を10個書いてみよう」など、スモールゴールを設定し、それができたらほめてもらうようにしました。

特に、1日の勉強の最後には、必ず正解が出るような問題を解いてもらい、ほめて終えるようにしてもらいました。

これによって子どもは、自己肯定感を高く保ったまま次の日を迎えることができ、「今日も勉強しよう」という気持ちになるからです。

ところが、たいていの親は、難しい問題を解かせ、できないと叱るということをしてしまいます。子どもが自発的に勉強する意欲をそいでいるのは、ほかならぬ親自身なのです。

子どもが学ぶ横で世界史を勉強

Hさんは娘のそばで読書をすることに、最初は苦労しました。というのも、社長に就任してから読むのは業界誌などが中心で、あまり面白くないため、つい、ウトウトしてしまうといった失敗もあったようです。

そこで、私は、Hさん自身が新たに学びたいテーマを選んでもらいました。「仕事とは関係なくていいのです。Hさんが興味があるのは何ですか?」と聞くと、歴史という答えが返ってきました。

しかも、世界史に詳しくなって、もっと大きな視点で自分の人生を捉え直してみたいという目標まで見つけてくれました。

そのときから、**子どもの勉強時間はHさん本人の勉強時間にもなりました。**ほかにもHさんは、これまでぼーっとして過ごすことが多かった昼食後の20分ほどを、世界史を学ぶための時間として確保しています。

case 9

家族との関係性を〝学び直す〟

家庭で孤立。会社が大切な居場所

広告代理店で働くEさんは、男女雇用機会均等法すら整備されていない時代に社会人になりました。現在、63歳の男性です。

当時の広告代理店は、今にも増して男性社会でした。Eさんが入った会社は大手と呼ぶほどではなかったものの、数年経つとバブル経済が到来。湯水のように経費は使えるし、テレビCMなどの全盛期だったこともあって仕事は面白く、のめり込むようにして働きました。

そうした状況下で、同僚の女性と結婚。妻は寿退社をして専業主婦となったので、子どもの教育など家庭のことは、全部、任せていました。自分はたくさんの生活費を稼いでいるのだから、それでいいのだという考えでした。

ところが、バブルが崩壊し、だんだんと雲行きが怪しくなっていきます。給料のアップ率が頭打ちになり、ボーナスが大幅に減ったことで、家のローンの支払いや子どもの教育費についても余裕がなくなりました。

その頃から妻と口論が絶えなくなり、2人の娘はいつも妻の味方をするために、Eさんは家庭で孤立していきました。

そんなEさんにとって、**会社は大事な居場所でした。**いくら世の中の景気が悪化しているとはいえ、自分はそれなりに評価されているという自負もありました。

●学ぶのは「家庭や友人、地域での人づき合い」

ところが、55歳になると、人事担当者は当然のように定年後の身の振り方について考えておくようにいってきたのです。そのときに提示された通り、60歳からは給料はほぼ半額になりました。

何よりつらいのは、かつての部下たちが上の立場になったことでした。皆、Eさんを大切に扱ってはくれるものの、大切にされるほど「置いてもらっている」身分であることを痛感するのです。

この段階になってようやくEさんは、人生には仕事よりも大事なことがあると気づきました。そして、**家族と楽しい時間を過ごしたい**と考えるようになりました。ただ、すでに妻と2人の娘との間には溝ができています。

それではと、スポーツクラブやカルチャーセンターなどへ行ったものの、うまく友人がつくれません。

学生時代の友人をゴルフに誘ってみても、あまり色よい返事が得られません。それどころか、やんわりと「上から目線でものをいうからつき合いにくい」といった指摘をされてしまいました。Eさんに必要なのは、**仕事という利害関係がない場における人間関係の学び**なのです。

人間関係は一方通行では成り立たない

私が課長世代を対象に行っているセミナーには、女性の管理職もたくさん参加しています。セミナー後のくだけた懇親会では、彼女たちはよく配偶者の愚痴をこぼします。なかでも多いのが、「何をやってもうちの夫は感謝してくれない」というものです。たった一言「ありがとう」をいってくれれば家事も頑張れるのに、それがないから腹が立つというのです。

この話には、Eさんが参考にすべき点があるでしょう。

一方で、私は彼女たちにこうアドバイスします。

「配偶者が感謝してくれないのは、あなたも配偶者に感謝していないからですよ」

要するに、人間関係は一方通行では成り立たないということです。

かつてEさんの家庭では、妻のほうがコミュニケーションを取りたがっていました。しかし、何を相談しても「家のことは任せるよ」といわれてしまうので、いつしか妻はあきらめてしまったのでしょう。

そして、今度はEさんがコミュニケーションを取りたがっているわけですが、すでに歯車はかみ合わなくなっています。無理を通せば、余計に妻の態度は硬化するでしょう。

1日に3枚、小さな「感謝」を渡す

相談を受けた私は、焦らずゆっくりと関係性を取り戻してもらうことにしました。そのために活用してもらったのが「サンキューカード」です。**名刺サイズの小さな紙に、ちょっとした感謝の言葉を書いて、渡してもらう**というものです。

たとえば、「シャツを洗濯しておいてくれてありがとう」「コーヒーを淹れてくれてありがとう」「犬の散歩をありがとう」「お土産を喜んでくれてありがとう」といったことでいいのです。

用紙は市販のものでなく、画用紙などを自分で切っても構いません。ただ、Eさんには「**なるべく小さく**」を心がけてもらいました。

なまじ大きい紙を使うと、感謝だけでなく、つい言い訳や自己主張などまで書いてしまい、かえって相手の気持ちを逆なでします。

このサンキューカードは、「1日に3枚書く」というように、自分にノルマを課してもいいでしょう。それによって、感謝のネタを探すようになります。それはすなわち、相手のいいところを見つけるということです。

サンキューカードを書いているうちに、**どんどん相手のいいところに目が行くようになります**から、自然に関係性もよくなります。実際に、Eさんの妻も子どもたちもEさんの変化に驚いているようです。

家事は創造的で奥深い。絶好の「学び」の対象

なお、セミリタイア世代の男性については、料理や掃除など家事を学ぶことも必須です。

定年後に家にいるのに家事をしない夫に対し、多くの妻が不満を募らせています。「メシはまだか」と催促するなら、どうして自分でつくらないのかというわけです。ただ、実際には「やりたくないのではなく、どうしていいかわからない」という夫が多いのではないでしょうか。だったら、学んでしまいましょう。

家事は、とても創造的で奥深い作業です。料理も掃除も、いくらでも工夫ができるし、頭も使います。

今は料理教室になど行かなくても、わかりやすい動画がいくらでも見られます。掃除や片づけのコツを開示している動画もたくさんあります。これらを活用して、家庭での生活をより快適なものにしていきましょう。

Eさんも、まさに家事を学び始めたところです。

終章

学び続けるための15の心得

心得
1

1日30分、スマホから離れる

——ライバル行動を消去

仕事に集中できない理由を質問すると、
「必要以上についメールをチェックしてしまう」
「調べ物をしていると、ついネットニュースを追ってしまう」
という声が多く聞かれます。

勉強でも同じです。効率を上げるために、デジタルツールは大いに活用すべきですが、ツールに振り回されてはいけません。何かに集中しようとする際は、インターネットにアクセスできない環境に身を置くことも必要です。いわゆるライバル行動の消去です。

私は、たびたびスマホを持たずにカフェに出かけます。そこで30分ほど集中を要する案件を片づけ、美味しいコーヒーを味わって帰るのです。

すると、たいてい2〜3件の電話着信やメールが届いています。中には、重要な案件もありますが、すぐに折り返せば何の問題も生じません。

「スマホが手元にないと大変なことになる」などということは、あり得ません。

心得

2

勉強道具は「すぐに取り出せる」状態に

――持ち歩き用の勉強セットをつくる

どんな場でも、すぐに短時間で勉強に集中するには、勉強道具が取り出しやすい状態であることが求められます。

週末など、落ち着いて勉強できるときは、パソコンであれ、分厚い参考書であれ、必要な教材を自由に使って学んでください。

ただ、その一方で、通勤電車やカフェなどで細切れの時間を使って勉強する方法も考えておきましょう。**持ち歩くのが簡単で、カバンからすぐに取り出せるような「勉強セット」**をつくっておくといいでしょう。

行動設計がきちんとできていれば「今日はどこで何を何分やる」ということがわかっているはず。それに必要なものをセットしておきましょう。

私は、普段から持ち手が2つある広口のトート式バッグを使っています。読みかけの本や、ちょっと勉強したいときの資料がすぐに取り出せるからです。

心得
3

「無理せずやれること」を繰り返す

――小さな成功体験の積み重ねが大事

勉強に限らずビジネスでも、うまくいく人といかない人の間にそれほど能力差があるわけではありません。ただ、小さな習慣の違いは見て取れます。**うまくいっている人というのは、普段から無理をしません。**

ハードルが高すぎることは上手にスルーし、「ちょっと頑張ればできるくらいのこと」を見極め、成功体験を重ねているのです。

「自分はできる」と思えれば、新しい何かにチャレンジするのは面倒なことでも苦しいことでもなく、肩の力を抜いていつもの自分で取り組むことができます。そして、そういう態度だからこそ成功できるのです。

スポーツクラブのマシンでも、最初から負荷をかなり高く設定して苦しみながらやっている人がいますが、彼らは正しい行動設計をしていないため体を壊しかねないし、そもそも続きません。学びもこれと同じです。

心得
4

最初に張り切らない

——頼りないくらいの滑り出しがベスト

やろうと決めたら張り切ってしまう。これは人間の習性です。

しかし、読んで字のごとく「張り切って」しまうと、もうそれ以上、伸びようがありません。だから、最初に張り切ると後が大変なのです。

やるからには右肩上がりでいたいと思っても、すでに張り切っているため、それ以上はできません。

となれば、せめて現状維持をしようと張り切り状態を続けることになります。でも、そんなことは無理。どうしたって、尻すぼみになっていきます。

つまり、**その勉強が右肩上がりで継続するか尻すぼみになっていくかは、スタート時点で決まっています。**

それを知っている人は、最初はあえて抑え気味にし、まず自分の状況を観察します。客観的に見て「もう少し行けそうだ」と思ったら、ちょっと頑張ればＯＫ。

要するに、一見、頼りないくらいの滑り出しでいいのです。

心得
5

「どうせできない」をコントロールする

――呼吸を整えると心が整う

人間は遠い祖先の時代から個体の存続を第一目的に生きてきました。

そのため、絶えず外敵からの襲撃を警戒しており、不安感を抱きやすくできています。

ですから、勉強するにあたっても、油断しているとすぐに「どうせできっこない」「ダメに決まっている」などとネガティブな気持ちに傾いてしまいます。

また、**人間の頭の中には、1日に7万語ものネガティブワードが流れているといわれています。**

それらに邪魔をされないよう、学習前には心を整えておきましょう。

そのためのもっとも簡単な方法は、深呼吸です。かつ、その呼吸を数えることで雑念が消えていきます。

深く吐いて1、深く吸って2、深く吐いて3、深く吸って4……ということを20くらいまで続けると、自然と気持ちが落ち着いてくるはずです。

心得 6

小さな達成感を大切にする

――「自己効力感」を高める4つの要素

私たちは「できそうだ」と感じたことはほとんどできるし、「できないかもしれない」と思ったらできません。

この「できそうだ」という思いを心理学の専門用語で「自己効力感」と呼びます。

自己効力感は、次の4つの要素によって生まれやすくなるといわれています。

①自己の成功体験＝これまでに同じようなことでうまくできた経験があること
②代理的経験＝他人がうまくこなすのを見て、自分もできそうだと思うこと
③言語的説得＝自分にはその行動をうまくできる自信がなくても、他人から「あなたならできるよ」などといってもらうこと
④生理的・情動的状態＝達成感や喜びによって起きる変化

自分の成功体験や人の応援を利用して、自己効力感を高めておきましょう。

心得
7

数字で具体的に把握する

——学ぶべきことが明確になる

私たちは小学生の頃からテストで点数をつけられてきました。

だから、「自分は算数よりも理科のほうがいい点を取れる」とか、「ここのところ社会科の成績が落ちてきている」ということが具体的に把握できました。

ところが、社会人になると一気に曖昧な評価をされるようになります。

そのため、**自分はどういうところに長けているのか、弱みはどこなのかということがわからなくなっていきます。**

これは恐ろしいことで、「その他大勢の中の曖昧な1人」と自らを規定し、今後、学んでいくべきことすらも見失いがちになります。

自分の成績やビジネススキルはもちろん、会社の状況、世の中の流れなどについて、曖昧な評価を下すクセから脱却しましょう。

普段からどんなことでも数値を用いて明確に考えるようにしておくことが大事です。

心得
8

睡眠の質にこだわる

――大事なのは長さではなく質

効率的な学びは、冴えた頭でこそ可能になります。普段からよい睡眠を取るよう心がけましょう。

睡眠で大事なのは、長さではなく質です。まず、自分は質の高い睡眠が取れているかどうかを把握しましょう。

よく知られているように、睡眠には脳が休んでいる状態のノンレム睡眠と、覚醒に近い状態にあるレム睡眠があります。

時間の長さに関係なく、レム睡眠のときに起きるようにすればスッキリ感が得られ、逆にノンレム睡眠のときに無理に起きれば、頭がぼーっとした「眠り足りない」状態になります。

今は、手首に装着したり枕元に置くことで、寝ている間に睡眠の状態を計測してくれる「睡眠計」がたくさん売られています。寝返りなどをキャッチし、レム睡眠のときに目覚めさせてくれる時計もあります。それらを活用し、睡眠の質を上げましょう。

心得
9

意識的に体を動かす

——ウオーキング、水泳がおすすめ

ウォーキング、ランニング、水泳、自転車などの単純な動きをひたすら行う運動を「エンデュランス系スポーツ」と呼びます。

エンデュランス系スポーツは、いつでもちょっとした空き時間に行えます。また、**難しい技術を必要としないので心を空っぽにして続けることができます**。そのため、瞑想にも似た効果をもたらすとされています。

普段からエンデュランス系スポーツを習慣にしていれば、心が整い、勉強にも集中できるでしょう。

一方、野球、サッカーなどのチーム競技は、メンバーと力を合わせて戦う面白さがありますし、ストレス解消にもってこいです。

自分と同世代の人を対象にしているクラブなどを探し、こうしたスポーツも大いに楽しんでください。

勉強は健康な心身あってこそ継続できます。机に向かってばかりいないで、体を動かしましょう。

心得
10

「ゼロか100か思考」から自由になる

――一歩でも動けば、ゼロよりもずっといい何事につけ、いちいち「白黒つけよう」とするのをやめましょう。世の中の大半のことはグレーなのです。

「100%でないならゼロと同じだ」といった極端な考え方は、学びの大きな障害になります。

たとえば、**「2時間勉強しようと思っていたのに、たった15分しかできなかった」**ということもあるでしょう。予定の12・5%ですね。

では、12・5%は価値がないのでしょうか。

そんなことはありません。**ゼロよりも確実に前進しています。**

もちろん、100%できたら理想ですが、人間はなかなか思ったようには動けません。邪魔が入らなくても、自分自身どうしてもやる気になれないということもあって当然です。そんなときは、15分でもやりましょう。

そして15分でも価値があったと考えてください。一歩でも動けば、ゼロよりもずっといいのですから。

心得
11

「やらなければならないこと」を先に片づける

——時間を上手に確保する

どんな仕事にも、「やらなければならないこと」と「やったほうがいいこと」があります。ビジネスを回していく上で、最優先すべきは「やらなければならないこと」です。

ところが、そういう仕事は困難なものが多いので、つい「やったほうがいいこと」から手をつけてしまいがちです。でも本当は、これらは誰かに回すことができる仕事だったりします。

こうして、「やらなければならないこと」をちょっと後回しにした結果、締め切りが厳しいものになり、人は追い込まれてしまうのです。

こんな状態では、いつまで経っても勉強に集中できません。

普段から、「やらなければならないこと」を先に片づける習慣をつけましょう。

そのためには、優先順位ではなく劣後順位で物事を考え、やる必要のないことを最初に捨ててしまいましょう。

心得
12

不安になったら「具体化」する

——ほとんどは解決可能なもの

勉強を続けていると、「こんなことをしていても結果につながらないのではないか」「結局、試験に失敗するのではないか」などと、さまざまな不安に襲われることがあります。

そんなときは、その不安から目をそらさず、しっかり向き合いましょう。

というのも、**不安というのは曖昧なままにしておくと、どんどん膨らんでしまうのです。**

予定より勉強が遅れているようなケースで、ただ「遅れている」とだけ認識していたら「まずい、もうダメだ」という気持ちにもなるでしょう。

でも、現実問題としてどのくらい遅れているのかを数値で把握し、その上で新たに振り分けられる日程を探していけば「できる」とわかります。

私たちが抱く不安の多くは、何かとても大変なことのようでいて、実は解決可能なことがほとんどです。

いたずらに恐れるのではなく、しっかり正体を見つめましょう。

心得 13

勉強のために「我慢」しすぎない

――今日を楽しむことも大事

これからの私たちは、一生学び続けることが必要です。

だからこそ、勉強を「苦しいもの」にしてはなりません。

もともと頑張り屋で辛抱強い日本人は、「10年後のためなら今の生活は犠牲にしても仕方ない」といった発想になりがちです。

実際に、「定年を迎えるまでは、仕事と勉強以外のことは考えない」と、趣味も楽しまずに頑張っている人を知っていますが、ちょっと心配です。

10年後のあなたは、いきなり10年後に存在するのではなく、今日という日の延長線上にあります。

今日が苦しいものであれば、そのまま10年後も苦しいものになるかもしれません。

悲壮な覚悟で将来に対峙するのではなく、今日を楽しみながら、生活の中に上手に勉強も織り込んでいくという姿勢が大切です。

心得
14

ネガティブな自分も自分

――気質の〝両面〟を肯定する

日本社会にもすっかり「ポジティブ・シンキング」という言葉が根づきました。

もともと、世界的に見て楽天的ではないだろう部類の日本人にとって、この言葉は一種の憧れであったのかもしれません。

だから、いつの間にか私たちは、「何事もポジティブに考えなければならない」という強迫観念にとらわれるようになってしまいました。

しかし、**ポジティブ・シンキングもネガティブ・シンキングも、もともと私たち人間に備わった気質に過ぎません。その時々で、どちらが優位になってもいいのです。**

勉強を続けるには、「淡々とやり続ける」というポジティブ・シンキングも必要でしょう。

かといって、24時間365日、無理に自分をそういう状況に置こうとしてはなりません。

そもそも人間は、サボりたがりで、面倒くさいことが嫌いで、そのくせクヨクヨしたりする生き物です。そんな自分も肯定しましょう。そうした本質を無理やり変えようとすれば、かえってメンタル面などで深刻な問題を引き起こします。

心得 15

多様な価値観を認める。それも「勉強」

——新しい生き方、働き方を学ぶ場

心得の最後にお伝えしたいのは、新たな価値観の学びです。

たとえば、職場の若手社員。少しでも厳しいことをいうとすぐにへこみ、下手をすれば会社を辞めてしまう。仕事よりもプライベート優先。飲み会への参加も少ない。自分たちの時代とはずいぶん違うと感じ、あまり愉快ではないこともあるでしょう。

職場でなくても、趣味の世界や資格試験の勉強の場、地域社会で価値観の違う人に接し、イラッとした経験を持つ方もいるかもしれません。

しかし、そうしたことで心を乱すのはやめましょう。そもそも、他人についてイライラするのは、多様な価値観を認められていないからです。

知識やスキルが変わるように、働き方や生き方、価値観も変わることがあります。

今、皆さんが違和感を覚える価値観が、いずれスタンダードになる可能性もあるでしょう。ここは、自分がいろいろ教えてもらうくらいの気持ちでいましょう。

これも、大事な人生の「勉強」です。

本書は２０１８年1月に発行された『学ぶ技術』（日経ＢＰ）を
文庫化にあたって大幅に加筆修正、再構成、改題したものです。

日経ビジネス人文庫

もう一度《いちど》、学《まな》ぶ技術《ぎじゅつ》

2022年12月1日 第1刷発行

著者
石田 淳
いしだ・じゅん

発行者
國分正哉

発行
株式会社日経BP
日本経済新聞出版

発売
株式会社日経BPマーケティング
〒105-8308 東京都港区虎ノ門4-3-12

ブックデザイン
鈴木大輔・江﨑輝海（ソウルデザイン）

本文DTP
ホリウチミホ（nixinc）

印刷・製本
中央精版印刷

Printed in Japan ISBN978-4-296-11578-5